SV

Max Frisch
Stich-Worte

Ausgesucht von
Uwe Johnson

Suhrkamp

Einmalige Ausgabe
zur Suhrkamp Buchwoche im September 1975

© Suhrkamp Verlag Frankfurt am Main 1975
Alle Rechte vorbehalten
Papier: Schleipen GmbH, Bad Dürkheim
Druck: Ebner, Ulm
Satz: Librisatz, Kriftel
Printed in Germany

Stich-Worte

Das Unternehmen dieses Buches ist einfach für den Auf-
traggeber. Der Suhrkamp Verlag besteht zu diesem Da-
tum 25 Jahre lang und möchte sich feiern in dem Werk
eines Schriftstellers, der ihm von Anfang an verbunden
gewesen ist.
Das Unternehmen dieses Buches ist schwieriger bestimmt
dadurch, daß statt Max Frisch einer seiner Leser »Stich-
worte« aussucht. Max Frisch ist für dieses Buch nur ver-
antwortlich durch seine Zustimmung, die ausgesprochen
worden ist mit dem Vorschlag eines Titels »Frisch ange-
strichen«, der im günstigsten Fall das Ausmaß an Würde
andeutet, dessen er bei dieser Gelegenheit bedürftig wäre.
Unvermeidlich ist die Gefahr, daß er hier nichts erfährt als
etwas über die Haltung eines einzigen seiner Leser; unaus-
weichlich ist die Sicherheit, daß er sich anders nimmt. Das
Risiko, dem er sich nicht verweigert hat, es verbleibt bei
dem, der hier ausgewählt hat. Das ist jemand, der im Jahre
1957 zum ersten Mal ein Buch von ihm, »Stiller«, in die
Hand bekommen hat und mit Neid feststellte, daß ein
Mann der westlichen deutschsprachigen Literatur sich be-
schäftigen darf mit den Schwierigkeiten subjektiver Iden-
tität. Welche Art von Kommentar eben zu verlernen
war und einzutauschen gegen den Entschluß, nie wieder
einen Schriftsteller einzuengen auf eine noch so beweis-
bare Kategorie. Schon gar nicht diesen. Es ist dieser
Grund, der einen germanistischen oder sonstwie philo-
sophischen Aufriß für das Werk von Max Frisch und
diese Stücke daraus ausschließt. Es war aber nicht Willkür,
die hier zum Bleistift gegriffen und angestrichen hat, son-
dern am Werk war Belieben mit einer tieferen als sonst
auffälligen Wurzel dieses Wortes, auch Dankbarkeit für
die Erlaubnis und Ehre, dem Leser und Max Frisch jene

*Mitteilung zu machen, die in dieser Auswahl enthalten ist.
Es versteht sich, daß die Gruppierung der Zitate mangel-
haft ist. Sie soll dem Buch lediglich in einem technischen
Sinne ein Rückgrat einziehen. So läßt sich darüber streiten,
ob denn »Versuche mit Liebe« hätten getrennt werden
müssen von »Eifersucht in der Liebe«, und es ist zweifel-
haft, ob die Deutsche Demokratische Republik unter
»Die Alternative Sowjetunion« geraten darf, nur
weil die Leute in jenem Land von der Sowjetunion
lernen sollen, wie das Siegen zu lernen wäre. Und mit der
Frage »Wer macht unser Bild« wird schon unterstellt,
wiewohl nicht noch ausgesprochen, daß es nicht nur um
eine Außenansicht geht, sondern eigens um die, die wir
als unsere Wirklichkeit verfertigen. Auch kann das unter
»Manieren« Zusammengefaßte keinen Katalog herstellen,
der ausschließlich Empfehlenswertes anböte. Und so fort.
Eingestandener Maßen macht der Auswählende mit solchen Zusammenstellungen dem Leser einen Blick zum
Vorschlag, aber der Benutzer dieses Buches ist dringend
aufgefordert, gegen diesen Blick zu lesen, nämlich mit
dem eigenen. Es ist Widerspruch erwünscht.
Die Auswahl verzichtet auf Ordnung. Das verbietet
schon das Verfahren des Ausziehens. Wohl wird versucht,
Anfänge dieser biografischen Arbeit, genannt Max Frisch,
anzuführen, also den Weg; vordringlich jedoch kam es
darauf an, die Ankunft zu zeigen und oft statt des Be-
mühens die Leistung.
Dies Buch ist der Versuch, einer Öffentlichkeit so viel
mitzuteilen aus den Schriften von Max Frisch, wie sich
leicht in einer Hand halten läßt. Es soll in eine Hand-
tasche passen und doch sie benutzbar belassen, es dürfte
eine Manteltasche nicht herabziehen. Das bestimmt den
Umfang und die Möglichkeit, daß auch noch aus einer*

sachlichen Bedingung etwas fehlen kann oder vertreten
sein durch etwas, dem es an Dringlichkeit noch zuvorge-
kommen wäre. Was das Verfahren angeht, so hat Max
Frisch es verboten in der Vorbemerkung zu seinem ersten
Tagebuch, in der er den Leser bittet, nicht »nach Laune
und Zufall« auszuwählen, sondern die zusammensetzende
Folge zu achten. Dem wird hier begegnet mit dem Sach-
verhalt, daß der Vorsatz des Auswählens ein anderer ist
und sich beschäftigt hat nicht nur mit jener Veröffentlichung sondern mit allen und so doch wieder eine Folge
zusammensetzt. Wenn er dann noch einwendet, die einzelnen Steine seines Mosaiks »können sich allein kaum
verantworten«, so soll hier bewiesen werden, daß die
einzelnen Steine für sich stehen können, dies in der ver-
wegenen Hoffnung, es gelänge abermals ein Mosaik.
Es wäre hübsch, wenn der Leser mit dem Auswähler streiten wollte über den Titel »Stichworte«. Die Brockhaus
Enzyklopädie Wiesbaden 1973 gibt für Stichwort erstens
seine Bedeutung im Theater: »das Wort eines Darstellers,
an das sich der Text eines anderen Darstellers oder ein
neuer szenischer Vorgang anschließt«. Sagen Sie einmal,
so könne das hier nicht vorgehen. Dem wäre zu antworten, daß jeweils Sie den hier versammelten Worten, die Sie
lesen, entgegentreten mit denen, die Sie darauf, dagegen,
dafür denken, oder daß Sie ihnen einen Vorgang anschließen, bei dem Sie etwas suchen, finden, aufheben,
übergeben, weglegen oder was sonst szenisch möglich ist;
warum auch wollten Sie sich auf das Szenische beschrän-
ken. Hier werden Stichworte angeboten, jetzt, bitte, treten
Sie auf den Plan. Die zweite Auskunft von F. A. Brockhaus spricht vom »Hauptsinnwort des Titels einer Veröffentlichung«; selbst dies wäre zu verteidigen mit dem
Beweis, daß das Hauptsinnwort eines Buches wie Stiller

zusammengebaut ist aus vielen einzelnen Hauptsinnwor-
ten, ehe es denn eins werden kann. Eine Anthologie ist
anders; hier wird versucht, aus Stichworten eine Biografie
von Max Frisch herzustellen nicht mit den üblichen Le-
bensdaten sondern solchen, die verwirklicht wurden im
Umgang mit der heimatlichen wie der deutschen Sprache,
in Versuchen mit Liebe, in Verletzungen durch Liebe, in
der Ausübung von Berufen, im Nachdenken über die
eigene Nation und in Bitten an sie, in Besuchen bei den
Deutschen, Leben und Reisen in anderen Ländern, die für
diese Person Nachbarschaft bedeuten, im Dank an Freunde, im Suchen nach der eigenen Wirklichkeit, im unab-
lässigen Suchen nach einer Manier, mit der Menschen
miteinander auskommen könnten. Kein Brevier soll das
sein, geschrieben wurde das nicht für eine Ewigkeit, denn
Ewigkeit hört nicht, fühlt nicht, ist taub und stumm. Geschrieben ist das für uns, für Zeitgenossen. Stichworte
sollen es sein, eine Vorstellung von immer wieder verwandelten und überprüften Erfahrungen, begangen an
und in der Person, die hier redet.
Das gewissenhafte Buch aus Wiesbaden weiß auch noch
von einem im Druck hervorgehobenen »dem erklärenden
Text vorangestellten Wort«; eine Sonderregelung für
Nachschlagewerke. Auf diese scheinbare Abweichung
wird ernstlich hingewiesen. Denn viele dieser Stichworte
sind ja nicht Ergebnisse oder Überlegungen, die unabhängig notiert wurden, sondern sie gehören zu Personen in
Geschichten, von denen der Verfasser zwar gelegentlich
gesagt hat, er probiere sie an wie Kleider, was eben seine
Methode ist, sie wirklich zu machen, und vielleicht die
Ursache, warum seine Personen so bereitwillig die Hand
aus der Geschichte herausstrecken und uns ihre Erfahrung
übergeben. Das ist leihweise; was Herr Anatol Ludwig

Stiller oder Professor Johannes Kürmann über sich er-
kennen, muß ihnen zurückgegeben werden. Deswegen
sind Stichworte im Text gelegentlich versehen mit dem
Namen des Darstellers (nicht immer, getreu der Feststel-
lung des Dramatikers Frisch, ein Schauspieler stelle eine
körperliche Eigenart am besten dar, wenn er sie von Zeit
zu Zeit andeute statt unablässig). Deswegen sind diese
Stichworte weiterhin eine Einladung, die Bücher und die
Geschichten in den Büchern auch einmal vollständig an-
zusehen: nachzuschlagen.

Uwe Johnson

Versuche mit Liebe

Es war ein Abend im März. Wir hatten in der ledernen Nische eines Kaffeehauses gesessen wie all die Abende, wenn man vom Geschäft kommt, einen Kirsch trinkt, eine Zeitung liest. Auf einmal, nach Jahren des Wartens, sieht man sich von der Frage betroffen, was wir an diesem Ort eigentlich erwarten. Mindestens die Hälfte des Lebens ist nun vorüber, und insgeheim fangen wir an, uns vor dem Jüngling zu schämen, dessen Erwartungen sich nicht erfüllen. Das ist natürlich kein Zustand. Ich winkte dem Kellner, zahlte und ging. Den Mantel, den er mir halten wollte, nahm ich auf den Arm, ebenso die Rolle —
Draußen war es ein unsäglicher Abend.
Ich ging. Ich ging in der Richtung einer Sehnsucht, die weiter nicht nennenswert ist, da sie doch, wir wissen es und lächeln, alljährlich wiederkommt, eine Sache der Jahreszeit, ein märzliches Heimweh nach neuen Menschen, denen man selber noch einmal neu wäre, so, daß es sich auf eine wohlige Weise lohnte, zu reden, zu denken über viele Dinge, ja, sich zu begeistern, Heimweh nach ersten langen Gesprächen mit einer fremden Frau. Oh, so hinauszuwandern in eine Nacht, um keine Grenzen bekümmert! Wir werden schon keine, die in uns liegt, je überspringen . . .   Bin, S. 10 f

Alle sagen, man sei klug, man sei begabt — nur weil man ihnen überlegen ist, und im Grunde will man es nicht einmal, glauben Sie. Immer so lächerlich, wenn die Frau überlegen ist, so aufreibend auch, wissen Sie. Was kommt dabei heraus? Und dann, mein Gott, immer das gleiche

Lied, man sei keine Frau — weil sie nicht aufkommen, weil es einfach keine Männer mehr gibt ...
YVONNE HINKELMANN   DS, S. 12

Wie eitel die Männer sind! Kaum dünken sie sich von einem Wesen verstanden, vertragen sie es nicht mehr, daß eben dieses Wesen eine Gans sein könnte; sie sind gekränkt, wenn man es ihnen sagt!   YVONNE HINKELMANN
                                                     DS, S. 12

»Jede Frau, die von ihrem Geliebten nicht unterdrückt wird, leidet schließlich an der Angst, überlegen zu sein — an der Angst, daß er kein wirklicher Mann sei.«
JÜRG REINHART   DS, S. 128

Seine Beziehung zu den Frauen, die er als ganze Gattung liebte, hatte überhaupt eine männliche, sehr selbstverständliche und unzweideutige Art des Anspruches, getragen vom Bewußtsein des Erfahrenen, daß auch die Frau, so reizend sie sich manchmal zieren mag, den Mann einfach braucht. Nicht überall, fand er, gab es diesen erquicklichen Ausgleich zwischen Angebot und Nachfrage.
HERR HAUSWIRT   DS, S. 122 f

»Man sollte nie über einen Menschen spotten, [...] man weiß nicht, ob man ihn nicht eines Tages heiratet.«
JÜRG REINHART   DS, S. 85 f

»Turandot ... Einmal, vor Jahrhunderten, kniete der
Ritter und besang seine Frauen, immer ein scheinbar Bit-
tender; seine Eifersucht, sein Geiz, sie schufen die hohen
Begriffe einer weiblichen Ehre, die ihm diente, die auch die
Frau schließlich annahm, annehmen mußte, da die Welt
doch eine Männerwelt war! Einmal sagte die Frau: Was
kniest du vor mir, was bringst du mir Blumen und
Schmuck, nur um dich selber auszustatten, deinen Besitz,
deinen Genuß; daß ich ein Mensch bin, was kümmert es
dich? ... Die Frau, die ihren eigenen Beruf hat, sie will
nicht an den Mann verkauft sein, gleich zu gleich, Mensch
zu Mensch, die Frau als Kamerad: was kam schon dabei
heraus? Befreiung der Frau, es war ein Männergedanke.
Am Ende zeigt es sich als die größte Vergewaltigung der
Frau, die einzige, die sie wirklich verletzte, weil man sie
mit Zielen krönte, die nicht ihre waren, nicht ihre sind:
man tat ihr die Gewalt an, sie von der Gewalt zu befreien,
die ihre natürliche Sehnsucht ist — und die Ehen gingen
in Massen zugrunde ... Was hat sie davon, daß man sie
anhört und ernst nimmt? Schließlich ist es sehr traurig,
nur als Mensch dazusitzen. Ich gebe mich zu billig! kommt
es ihr plötzlich. Angst vor der eroberten Freiheit, Angst,
sie werde als Frau nicht mehr erkannt, seit sie zum Menschen ausgerufen wurde, Angst, weil der Mann nicht mehr
befiehlt, sondern fragt, nicht mehr zwingt, sondern berät
und ihr Rätsel anerkennt, so, daß sie fortan über ihrem
eigenen Rätsel verzweifelt, den Mann nicht männlich mehr
findet ... Angst, dem Manne überlegen zu sein — das ist
Turandot, die Prinzessin aus dem chinesischen Märchen,
die die Männer enthauptet: aus Enttäuschung und Trauer,
daß sie es vermag! aus Zorn, daß sie es überhaupt annehmen und sich allen Ernstes mit ihren weibischen Rätseln
auseinandersetzen; keiner, der lacht und den Bann des

feierlichen Hofes bricht, keiner, der kommt, der die sin-
nende Stirne mit dem drohenden Schwerte vertauscht und
alles einfach niederhaut, raubt, was er will! Denn nicht
enträtselt wollen sie sein, sondern geraubt. Was soll die
Frau mit ihrem befreiten Verstande? Sie wartet am Ende
doch immer auf den, der mehr hat, der sie bezwingt auch
im Verstande — so, immer wieder, kommt ihr das große
Erbeben, das Entsetzen vor ihrem Wachsein, ihrem Alleinsein, ihrem Unbehütetsein! das verzweifelte Heimweh nach
dem Herrn, dem lachenden Unterdrücker, der vor ihr kniet,
dem wirklichen Mann — Sehnsucht nach der verlorenen
Peitsche, Heimweh nach der Gewalt, die ihre tiefste Erfüllung ist und ihr heimlicher Sieg! ...«   Jürg Reinhart
                                                    DS, S. 129 f

Ein Wunderbares ist es um die Ehe. Sie ist möglich, sobald
man nichts Unmögliches von ihr fordert, sobald man über
den Wahn hinauswächst, man könne sich verstehen, müsse
sich verstehen; sobald man aufhört, die Ehe anzusehen als
ein Mittel wider die Einsamkeit. Dort liegt das Unmögliche!
Sobald man ein Gefühl davon gewinnt, daß die Ehe einfach ein Dienst ist, ein Verfahren fürs tägliche Leben. Einfach zwar nicht, oh, gar nicht! Wehmut muß fallen, und
man darf keine Brücken bauen über das Schmerzliche,
die Trug sind. Es geht auch ohne das; nur ohne das geht es.
                                                    DS, S. 232 f

Nie ist der Geliebte ein wirklicher Mensch, er ist ein Gott
oder Götze, zuerst, eigenschaftlos und herrlich und erhaben
über alles, was er tut oder nicht tut.   DS, S. 224

Heimatliche Jahreszeiten

Was braucht der Mensch mehr!
September verbrannte sich in unsäglich heiteren Tagen
der Vergängnis, Tage aus Leichte und flimmerndem Hauch,
alles in Silber versponnen, in Ferne verblauend. Wälder
steigen aus Seen von Dunst, Inseln der Farbe, gespenstisch
umbrandet. Stille über den reifenden Weinbergen!
Ahnung der Zeit, die stündlich vergeht, das lichterlohe
Welken ringsum, das alles Vorhandene verglüht und
unsere einzige Hoffnung ins Werden, ins stete Entstehen
verweist, . . .   DS, S. 105

Es war ein Tag, wie er ihn über alles liebte, Oktober,
Körbe voll Laub, Nässe der Nebel! Lange schon sind sie
draußen in den Reben, in den Hängen eines grauen Igels,
Weiber mit roten Kopftüchern und violetten Händen,
die aus einem alten Lismer hervorfrieren, vom Weinlaub
naß, und Knechte tragen die schlanken Tansen; mit ver-
schränkten Armen kommen sie unter ihren Lasten aus
dem Nebel herab, Ritter im Panzer ihrer moppigen Win-
zerwesten. Morgen dampft aus dem See, meerweit. Glanz
einer kommenden Sonne geistert in Lüften von Metall,
ein huschendes Blinken über graue Wellen.
Tagelang hört man das Klöppeln der Trotte.
Laub an den Schuhen, ihrer Lasten überdrüssig, kommen
die Knechte in den Keller und kippen ihre Tansen schräg-
über; dann wieder hinaus . . .
Und plötzlich der Mittag, herbstlich leuchtet er mit dem
Goldschopf seiner Hügel; wie Inseln tauchen sie aus sin-
kender Brandung der Nebel, die in sonnigen Zunder zerfallen, ein Duft von Himmel ist über Zweigen und Gie-
beln, eine rauchende Bläue.

In den Wiesen stehen die Stelzen und Leitern hinauf ins
Gebäum, und die Jahreszeit streicht wie eine unsichtbare
Gebärde über die Hänge. Äpfel plumpsen, Wespen summen um die Süße der Vergärung. In Früchten, zu kurzer
Reife verdichtet, fällt uns die sommerliche Sonne noch
einmal zu, Süße erinnerter Tage! Man sitzt in den Gärten;
Sonne scheint uns durch alle Gespräche hindurch, und die
Gärten werden weit wie ein jähes Erstaunen, eine blaue
Geräumigkeit nistet sich ein in den Wipfeln der Bäume,
und wieder lodert das Welken an den Hauswänden
empor, klettert das Laub in glühender Brunst der Vergängnis. Daß Jahre vergehen und manches geschieht, wer
sieht es! Alles ist eins, Räume voll Dasein. Nichts kehrt uns
wieder, alles wiederholt sich. Unser Dasein steht über uns
wie ein einziger Augenblick, und einmal zählt man auch
die Herbste nicht mehr. Alles Gewesene lebt wie die Stille
über den reifenden Hängen. Am Weinstock des eigenen
Lebens, siehe, so hangen die Trauben von Abschied . . .

DS, S. 288 f

In wenigen Tagen, wie eine Geburt aus der Nacht, war
der Frühling gekommen, überraschend wie je . . . Stunden
wechseln in Schauern von Regen und Bläue, Wolken ziehen über die schwarze Erde der Äcker, Gebirge von glei-
ßendem Schaum, Flocken von Licht! Über dem Gurgeln
der Quellen, noch in den Mänteln des Winters, gehen die
Paare auf grünendem Teppich der Wiesen, mitten durch
die blühenden Teiche des Feuchten, durch Lachen von
Schlüsselblumen. Wenn sie sich bücken und stehen, die
Sträuße büschelnd, tragen sie die Sonne in den glimmen-
den Rändern ihres Haares. Tage voll Wind! Leichte der
Luft voll Weite der Ahnung, voll Schauer der ersten

Erfahrung, voll Heiterkeit auch und summendem Übermut; sie stapfen durch knackende Zweige, durch Rascheln vergangenen Herbstes, Sonne fällt in die Räume eines laublosen Buchenwaldes, ein erster Zitronenfalter flattert vorbei: — ohne ein deutlicheres Geschehnis als dieses, ohne das Eigentliche einer sonderlichen Tat, welche bleibt, vergeht uns das Dasein in Ohnmacht irdischer Verwandlung, verlieren wir uns an das traumhafte Rätsel der Zeit, Frühling um Frühling. DS, S. 182 f

April in den Städten, in den öffentlichen Alleen mit braunen Lachen unter dem laublosen Gezweig ihrer alten Platanen, Schirme, glanznaß und schwarz, Frauen in schwarzen Stiefeln und lehmhellen Mänteln. Lange ist's her! Mit Geläute der Münster! Mit Tauwetter in den Straßen, mit kahlen Alleen und Bänken, mit Bläue, mit Sonne am See, mit ziehenden Spiegelgewölken in den Scheiben der Häuser! Man trieb so durch Straßen, heimatlos in Schluchten aus bewohntem Stein, und später hat man doch Heimweh nach alldem! Seltsames Herz! Es altert umsonst … Sonne des Frühlings, Sonne des Morgens in den dünnen Spalieren, noch fällt sie durch alles hindurch, rieselt auf körnigen Putz und spielt mit dem Geschleif der Ranken, mit Arabesken aus wässerigen Schatten. Jeder hat seine Arbeit um Brot, seine Art von Sklaverei! Auf einer Leiter stehen und blonden Bast zopfen, Millionen wurden dafür tauschen. Und dennoch, daß man nicht weg kann! Einen Nachmittag einmal im Monat. Und wo wollte man hin? Wolken ziehen, in finsteren Lappen hangen die langen schmalen Äcker über den Hügel, vom Pflug gekämmt, und die Wiesen verfärbt von dem letzten Schnee, von braunen Fächern der Jauche unter dem schwarzen Gewirr der

Obstbäume, dem geisterhaften Knäuel ihrer Äste; Wolken
ziehen über rehrötliche Wälder —.   DS, S. 247

Seit Wochen war es, als stünde der Sommer sozusagen still
wie das weiße Gewölk über dem See, das täglich ein Gewitter versprach; Schwärme von Mücken standen in der
Luft. Alles stand. Die Bäume standen, als grünten sie
ewig. Überall hatte die Zeit ihr Gefälle verloren.
                                                     DS, S. 88

Der Sommer hatte seine Höhe überschritten. Alles drängte
seiner Reife zu, das Obst in den Gärten, draußen das
Korn auf mannshohen Halmen. Gewitter schoben sich
herauf, Gebirge von weißem Gewölk. Es wetterleuchteten
die lauen Abende über dem See. Wälder rauschten, und
Staub wirbelte in weißen Fahnen die Wege entlang, und
plötzlich, mitten im späten Nachmittag, saß man in einem
dunklen Zimmer, wo es die Vorhänge blähte. Irgendwo
schlugen die Fensterladen, ein Blumentopf klirrte auf der
Straße, und eine trockene Viertelstunde lang schüttelte es
jedesmal die Büsche, als wollten sie fliehen mit allen Zweigen, Wind peitschte die vergessene Wäsche auf den Dächern, ein klatschendes Weiß vor den blitzenden Finsternissen über der Stadt. Endlich fielen die ersten lauen Tropfen. Wie eine Erlösung folgte plötzlich das strömende
Zischen in den Bäumen des Parkes.   DS, S. 101 f

Schwermut der Herbste, aller zusammen, dunkelt um
fremde Gehöfte, bitter von Rauch. Wälder versteigen in
Nebel; Stämme, nichts weiter, Schauder von Wind und

Wirbel von Laub, Nässe der Stauden, das Tropfen auf einsame Bänke, das Modern im Moos, nachher die wuchernde Fülle der Pilze, die man in tauben Händen zerbricht, Blust der Verwesung. Oder der Abend in Städten, heimatlos, die Hände in den Manteltaschen; wie graue Leinwand schlägt es durch die erloschenen Farben des Tages, Asche, Straßen von Asche, Schaufenster darin, Lampenstuben in den Häusern, man geht unter dem scheinlosen Laternengold — droben im feuchten Laub der Alleen — und draußen die Helle noch über dem abendlichen Perlmuttersee ...

DS, S. 290

Leben, ja

Daß es das gibt! einmal in jedem Leben; wie Gärten, die schweben, grünte es unter dem Dunkel der glitzernden Wellen, ein starkes und jähes Gefühl von der Jugend kam über sie, Gefühl eines namenlos Hellen, so plötzlich wie ein Morgen im März: Alles ist möglich, nichts ist geschehen, Ängste der Kindheit wie Schalen gefallen, in einem weißen Kleidchen steht man da in der Wiese, Mensch ohne Verstrickung, und hoch in der Bläue des Morgens, hoch segeln die Wolken hinter laublosen Zweigen ...

DS, S. 34

O Wein, man trinkt dich wie Sonne und prickelnden Schaum, Funken von Laune, nichts weiter, und nachher, unversehens, sind wir trunken, heiter vom Tiefsinn deiner lächelnden Schwermut; wir wanken, wir singen durch Gassen, laut, daß es hallt, oder wir zanken. Immerzu, leise wie eine Glocke aus Glas, weint es in uns. Lange noch,

lange noch! Man trinkt dich, o Wein, nichts leichter als
das ...
Mit anderen Worten:
Ein wenig soff er wohl auch.   Bin, S. 112

Für jedes Lebensalter, meinte Reinhart, bedeute die Zeit
ein gelindes Entsetzen, ausgenommen das kindliche, und
doch wäre jedes Lebensalter schön, je weniger wir das,
was ihm zukommt, verleugneten oder verträumten oder
aufschöben! Auch der Tod, der uns einmal zukommt, läßt
sich ja nicht aufschieben.   DS, S. 68

Eigentlich gibt es nur drei Wege für jeden Menschen [...].
Er darf das Erbe seiner Herkunft, das Ergebnis von Ge-
schlechtern, deren Sinn oder Fluch oder vergangenes Da-
sein er trägt, er darf es in der Vergeudung einer einzigen
Rakete verbrennen, rücksichtslos, wenn er hoch genug
reicht! Das sind die Gestalter des Lebens, jene, die eine
Fessel nicht nötig haben, sich selber den Sinn geben — im
Übermut, du weißt es, zählte ich mich einmal selber dazu! ... Das andere sind die Gesunden, die Erhalter des
Lebens, das sie weiterbieten, wie sie es empfangen haben,
so unversehrt als möglich, das ist die bürgerliche Ehe.
[...] Das Dritte [...], man hat ein Leben so versehrt
empfangen, daß man sich selber damit auszulöschen hat.
Eine weitere Möglichkeit sehe ich nicht, kann ich nicht
denken.   JÜRG REINHART   DS, S. 281

Überall kann man sparen, nur beim Wohnen nicht! Es
gibt Räume, die unsre Seele nicht atmen lassen, Zimmer,
die uns jeden Morgen, wenn man aufsteht, den Glauben
an die Zukunft nehmen. Oder ein Treppenhaus, zum

deren Namen ich vom Hörensagen kenne: Hitler und
Friedrich den Großen, ferner Hindenburg und den heiligen
Horst Wessel, und zwischen allerlei Kampfbüchern und
erzählenden Werken lagen drei blanke Dolche. Um dem
Geist dieser Schriften zur Ueberzeugungskraft zu ver-
helfen? Vormittags hatte ich ein Gespräch mit dem Leiter
eines großen deutschen Verlages und erfuhr unter anderm,
daß der Absatz des deutschen Buches in der Schweiz ganz
erheblich zurückgegangen ist, man stoße auf ein zähes
Mißtrauen selbst mit rein dichterischen Werken, fast auf
einen Boykott, sofern der Verfasser nicht schon bekannt
und geschätzt sei; der Roman, der in Blut und Scholle
wühlt, vor allem die Erzeugnisse jener flinken Herren, die
seit dem Umbruch ihr Bauernherz auf den rechten Fleck
rückten und sich nun nicht genugtun können mit ihrem
Mistgeruch, würden selbst in Deutschland schon heute
kaum mehr gekauft. Denn der Mensch lebt ja nicht von
Erde allein.

Nachmittags besichtigte ich die schmucke Stadt, die von
baumreichen Hängen aus ihrer Mulde emporgehoben wird,
ähnlich wie Zürich, und als ich bald bemerkte, daß hier
jedes Stadthaus zwei bis drei Fahnenstangen von sich
streckt, wurde ich von einem albernen, aber heftigen
Zwang erfaßt, diese langen Stecken abzuzählen; schon in
der ersten Straße kam ich rasch über hundert und hatte
mich müde gegangen, bevor ich ein Haus ohne dieses Gerät
gefunden hätte, daran sich auf Befehl jederzeit die Volks-
begeisterung hissen läßt.

Ein freundlich weiser Zufall führte mich später aus bitterer
Stimmung in ein Konzert, wo ich Klänge vernahm, die mir
schon von zu Hause vertraut sind, so daß ich mich wohler
fühlte und trotz den Fahnenstangen nicht mehr in wildester
Fremde; es waren deutsche Klänge, die wir nicht mehr

missen könnten, und ich wünsche mir, daß ich solchen
Urklang nie aus dem Gehör verliere, der doch die Basis
einer tiefen Freundschaft war und noch immer sein kann
und nicht verschüttet werden darf.   RA 1935

Von jeher schwankte das deutsche Wesen, sowohl im
Einzelmenschen wie im Volksganzen, zwischen Minderwertigkeitsangst und übersteigertem Selbstbewußtsein;
dazu mag die Mittellage zwischen östlicher und westlicher
Kultur beitragen, die zugleich befruchtend und gefährdend
sein kann, und es ist ja das Grundproblem jedes deutschen
Menschen, daß er sich nicht verliere in der Hingabe ans
Fremde und anderseits nicht in ängstlicher Selbstverpanze-
rung erstarre, daß er zwischen Empfänglichkeit und
Selbstpreisgabe, zwischen Selbstbesinnung und Ichgeiz
jenes schöpferische Gleichgewicht fände, das allein einen
Goethe möglich machte. Das deutsche Volk ist noch ein
junges Volk, fast ein jugendliches und daher ein gärendes,
das sich selbst noch nie verwirklicht sah, wie etwa das
innerlich ältere Frankreich, und daraus mag sich erklären,
daß es jene ausgeglichene Abgeklärtheit und Sicherheit
noch nicht haben kann, sowenig sie ein junger und
werdender Mensch besitzt. Dieses übersteigerte Selbstge-
fühl ist ein äußerster Ausschlag eines inneren Pendelns
und wir wissen auch um die deutsche Selbstbezweiflung,
die bis zur Selbstzerfleischung gehen kann und ihres-
gleichen nicht hat, kurzum, wir stehen der deutschen Seele
gewiß nicht ahnungslos gegenüber, empörend aber ist
dieser Selbstruhm, der seine eigene Rasse erhöht, indem
er alles andre in den Schmutz stößt.   RA 1935

— und so ist nun der andere Berliner: der stille und be-
schauliche, der sich sonntags in einen Kiefernwald legt
oder in seinem Zigarrenkistchen wohnt, genannt Wochen-
endhaus, wo er sich im Schillerkragen und mit Gieß-
kännchen der Natur ergibt. Eine Tanzplatte hat es ihm
verkündet: Veronika, der Lenz ist da! Und wie umgestülpt
ist nun sein Wesen, sozusagen mit der rauhen Schale nach
innen und mit dem Kindergemüt nach außen. Sagt man
doch, daß der Berliner auf seinen Bahnhöfen immer renne
und gar geschäftig sei, ja, daß er einen Schaffner, der ihm
die Fahrkarte geben soll und nach dem Ziele fragt, in
seiner Eile anschnauzt: Janz egal, hab überall zu tun! —
und hier draußen findet er also Muße, fünf Schleppkähnen
nachzusehen, die eben durch den Teltowkanal gezogen
werden; urgelassen gleiten die tiefbeladenen Schiffsbäuche
daher und plätschern murmelnde Wellen vor sich hin, jeder
birgt einen ganzen Eisenbahnzug voll Kohle, und wie ich
die paar Männer sehe, die mit den Händen in den Hosentaschen an Bord stehen, jauchzt es in mir: Das wäre endlich
der passende Nebenberuf für junge Lyriker! So ins
graugrün und ockergelb schillernde Wasser hinabsehen und
nach dem vorüberziehenden Ufer schauen, das manchmal
eine Trauerweide übers Wasser neigt oder Felder aus-
breitet voll märkischen Sandes, darin drei herrliche Pferde
traben und mit stiebenden Hufen hinter einem Birken-
wäldchen verschwinden, rotbraun hinter silberweißen
Stämmchen, und so dahingleiten durch Havelseen, die klein
und heimlich sind, und in immer einsamere Ebenen, wo
man nicht mehr sieht, ob das Wasser fließt, und wo sich
gipsweiße Haufenwolken spiegeln in seichtem und schilf-
durchsetztem, von Enten bewohntem Gewässer, kurzum,
immer so dastehen mit den Händen in den Hosentaschen,
der Welt von Ferne nachsehen und davon glücklich sein —

und dennoch zugleich als anständiger und nützlicher Erdenbürger betrachtet werden, so etwa dächte ich mir den Schriftsteller im Nebenberuf!

Ja diese märkischen Kleinseen: eigenartig ist ihre Anmut und überraschungsvoll ihre Verbindungskanäle, wo man zwischen Wäldern dahinrudert und von See zu See reist, tagelang wenn man mag; und unzählig schwimmen Paddelboote, meistens mit einem Paar besetzt, verliebt oder verheiratet, und bald seufzt ein Grammophönchen übers teichstille Wasser, bald singt ein Außenbordmotor dazu. Still und stolz aber, wie weiße Schwäne, gleiten die Segler dazwischen. Wassersport ist ja des Berliners höchste Lust, und obzwar hier die Einsamkeit meist massenhaft genossen wird, herrscht doch eine nette, lustige und gesunde Sonntagsstimmung: die Großstadt macht Picknick! An den Wirtshäusern hängt ein Schild: Hier dürfen Familien Kaffee kochen. Und hier sitzen sie denn auch mit Kind und Kegel, packen ihre Stullen aus, wobei die landesübliche Jurke kaum fehlen darf, und die Gören bauen Dämme und Häfen aus Ufersand, wobei der Vater ebenfalls gerne mitmacht. Hier hört man auch jenen Humor, der uns den Berliner von einer ganz andern Seite zeigt, wärmer und herzlicher, so daß er nicht mehr befremdet: Ja, das rührend Kleinbürgerliche bleibt doch international.   RA 1935

Nationalität: Schweiz

1936, als ich eine Studentin aus Berlin, Jüdin, heiraten wollte und im Stadthaus Zürich die erforderlichen Papiere abholte (Geburtsurkunde, Heimatschein usw.), erhielt ich unverlangt einen amtlichen Arier-Ausweis mit

dem Stempel der Vaterstadt. Leider habe ich das Doku-
ment damals auf der Stelle zerrissen. Die Schweiz war
nicht von Hitler besetzt; sie war, was sie heute ist: unabhängig, neutral, frei usw.   TaII, S. 173

Was man damals wie heute einen rechten Schweizer
nannte: — es gibt einfach Dinge, die ein rechter Schweizer nicht tut, sein Haar kann dabei blond oder schwarz
sein, das sind nicht seine Merkmale, Spitzkopf, Rundkopf
usw., der rechte Schweizer kann ganz verschieden aussehen. Er muß nicht Turner sein, Schützenkönig, Schwin-
ger usw., doch etwas Gesundes gehört zu ihm, etwas
Männerhaftes. Er kann auch ein dicker Wirt sein; das Gesunde in der Denkart. Meistens erscheint er als gesetzter
Mann, meistens als Vorgesetzter, der auch von einem
Lehrling verlangen kann, ein rechter Schweizer zu sein.
Was das ist, braucht man einem rechten Schweizer nicht
zu erklären. Er selber erkennt sich als solcher. Auch ein
schmächtiger Mensch, hilfsdiensttauglich, kann ein rechter Schweizer sein. Es hat nichts mit dem Dienstgrad zu
tun, so ist es nicht. Ein rechter Schweizer ist einer auch
in Zivil, zum Beispiel am Stammtisch. Es hat auch nichts
mit dem Einkommen zu tun. Der rechte Schweizer kann
Bankier sein, das muß er aber nicht sein; auch als Haus-
wart kann man ein rechter Schweizer sein, als Lehrer.
Wer nicht wissen sollte, was ein rechter Schweizer ist,
lernt es spätestens beim Militär. Die rechten Schweizer
sind die Mehrheit. Nicht zu vergessen die Auslandschweizer; manche jodeln über viele Generationen. Man muß
aber kein Jodler sein, das sind wenige, wichtig bei
Festen. Maßgeblich ist der Sinn fürs Alltägliche. Der
rechte Schweizer läßt sich nicht auf Utopien ein, wes-

wegen er sich für realistisch hält. Die Schweizerge-
schichte, so wie sie gelehrt wird, hat ihm noch immer
recht gegeben. Daher hat er etwas Überzeugtes, ohne
fanatisch zu werden. Er gefällt sich als Schweizer, wenn
er mit andern rechten Schweizern zusammen ist, und
solche gibt es auch in den Städten. Man muß, um sich als
rechter Schweizer zu fühlen, nicht Bauer sein oder Sohn
eines Bauern, doch ein gewisser bäuerlicher Zug (nicht
bäurisch!) gehört zum rechten Schweizer, ob er Rechts-
anwalt oder Zahnarzt oder Beamter ist, mindestens in
seiner Redeweise von Mann zu Mann. Ungern erscheint
er urban, der rechte Schweizer, wenn er mit rechten
Schweizern zusammen ist. Das macht nicht unsere Mundart, diese sprechen wir alle, die Mundart kann auch urban
sein. Manchmal hat man das Gefühl, der rechte Schweizer verstelle sich, um als solcher erkannt zu werden. Ausländer mögen ihn als grobschlächtig empfinden, das stört
einen rechten Schweizer überhaupt nicht, im Gegenteil;
er ist kein Höfling, macht keine Verbeugungen usw. Daher mag er's nicht, wenn er schriftdeutsch antworten
soll; das macht ihn unterwürfig und grämlich. Dabei hat
der rechte Schweizer kein Minderwertigkeitsgefühl, er
wüßte nicht wieso. Das Gesunde in der Denkart: eine
gewisse Bedächtigkeit, alles schnellere Denken wirkt sofort unglaubwürdig. Er steht auf dem Boden der Tatsachen, hemdärmlig und ohne Leichtigkeit. Da der rechte
Schweizer eben sagt, was er denkt, schimpft er viel und
meistens im Einverständnis mit andern; daher fühlt er
sich frei. Er redet, als nähme er kein Blatt vor den Mund.
Wie gesagt: kein Höfling. Er weiß, daß man sich auf ihn
verlassen kann. Obschon es auch rechte Schweizerinnen
gibt, fühlt der rechte Schweizer sich wohler unter Männern. Nicht nur deswegen entspricht ihm die Armee. Man

kann nicht sagen, jedem rechten Schweizer stehe die Uniform; in der Regel steht sie den Offizieren besser. Ein bleicher Fourier, der sich Tag für Tag abhetzte und oft in der Nacht, wirkte immer etwas rührend, vor allem wenn er den Helm trug; trotzdem ein rechter Schweizer, er fühlte sich zuhause in der Armee, man war zufrieden mit ihm. Wie gesagt, es liegt nicht am Aussehen. Auch ein Intellektueller kann ein rechter Schweizer sein. Es gibt einfach Dinge, die ein rechter Schweizer nicht tut, so wie Gedanken, die er nicht denkt, Marxismus zum Beispiel. Auch ein Arbeiter kann ein rechter Schweizer sein.

DB, S. 46 f

Vor Ausbruch des Zweiten Weltkrieges: in Zürich am See die schweizerische Landesausstellung. Viel Fahnen und Trachten. Viel Hübsches, viel Behagliches (Heimat-Stil) in Attrappen trauter Dörflichkeit. Was dem Nationalsozialismus entgegen zu halten war: unser Brauchtum, die schönen alten Masken aus dem Wallis, die alten Schlitten aus Graubünden, die schönen Riegelbauten, die ehrwürdige Landsgemeinde in Trogen oder Glarus, die frohen Fahnenschwinger, die frohen Jodler, die kräftigen Hornusser im Emmental. Es gab Skulpturen und Malerei von Schweizern; keine Entartete Kunst. Die Architektur niedlich; das war unser Trotz gegen den barbarischen Monumentalismus im Dritten Reich. Niedlich; keine Fortsetzung von Bauhaus, keine Spur von Corbusier. Eine unberührte Schweiz, daher gesund wie ihre Kühe. Es ging darum, das nationale Selbstvertrauen zu festigen. Was den schweizerischen Besucher mit Stolz erfüllen konnte: Die Großen Schweizer, ein Höhenweg (die offizielle Bezeichnung) mit Bildnissen von Pestalozzi, General Wille, Al-

brecht von Haller, Henri Dunant, Gotthelf, Favre (Un-
ternehmer und Erbauer des Gotthard-Tunnels), Lavater,
Böcklin, Niklaus von der Flüh, Jakob Burckhardt,
Zwingli, Hodler, Calvin, Carl Spitteler (Nobelpreis),
Paracelsus, Gottfried Keller, Winkelried usw. usw., Besucher von Stadt und Land in Andacht und Schulklassen
von Stadt und Land in Andacht. Die Größe unsres Landes: die Größe seines Geistes. Gondelbahn über den sommerlichen See. Pavillon der Uhren-Industrie; weltbe-
rühmt. Pavillon der Schweizer Weine; Kostproben. Eine
große Turbine; Präzision und Qualität. Dazwischen viel
zierlicher Gartenbau und der Schiffli-Bach; da konnte
man in kleinen Schiffchen durch die Gärten fahren und
sogar durch Pavillons. Ein Fest. Es gefiel uns. Ein Pavillon
der Armee: eine moderne Kanone, die man berühren
durfte, ein Flugzeug schweizerischer Konstruktion (Dop-
peldecker C-35) und unser Wehrwille in Gestalt eines
Wehrmanns aus Stein, der grad den Waffenrock anzieht
mit Ernst und mit gesunder Kraft und mit besonnenem
Blick auf den Feind. Ein einig Volk von Brüdern, das in
Frieden lebt und in einem schönen Land und tüchtig und
in Demokratie wie nirgends auf der Welt, viersprachig
und schlicht zwischen Alphorn und Maschinen-Industrie.
Ohne Utopie, immun gegen alles Unschweizerische.
Selbstvertrauen aus Folklore. Was mir damals nicht auffiel:
der dezente Geruch von Blut-und-Boden — helvetisch.

DB, S. 72 f

Kanonier Frisch, Max

1931, am Ende der Rekrutenschule gefragt, ob ich Offizier
werden wollte, lehnte ich ab. Ich war damals Germanistik-
Student. Auch für die zivile Karriere ist es vorteilhaft,

Offizier zu sein in unsrer Armee, das wußte ich schon. Mein älterer Bruder zum Beispiel, gesundheitlich der Schwächere, war Leutnant geworden, weil er Chemiker war, Stellensuchender bei der chemischen Industrie; das begriff ich. Der Major, als ich kein Interesse zeigte, Offizier zu werden, wurde sauer: Warum nicht? Ich wollte nicht Anwalt oder Arzt oder Prokurist oder Mittelschullehrer oder Fabrikant werden, sondern Dichter; das konnte ich natürlich nicht sagen. Daher seine Frage, ob ich Kommunist sei.   DB, S. 11 f

Man kann nicht sagen: sie haben uns zur Sau gemacht. Dazu fehlte in diesen Jahren die Gelegenheit. Schießen auf Teile unsrer Bevölkerung, die anders denken als die schweizerische Finanz und ihre Offiziersgesellschaft, war nicht nötig. Dazu wußte die Bevölkerung in diesen Jahren zu wenig. Die Armee entmündigte uns nur übungshalber für den Fall.   DB, S. 133

Die Kader hatten es leicht mit uns; sie brauchten die Mannschaft nicht davon zu überzeugen, daß die Schweiz, wenn sie sich gegen Adolf Hitler verteidigt, einen gerechten Kampf führt. Das war klar. Adolf Hitler war kein Schweizer und hatte sich hier nicht einzumischen. Eine Widerlegung der faschistischen Propaganda? Es schien zu genügen, daß wir die Mütze nicht schief auf den Kopf setzten und daß in den Marschschuhen kein Nagel fehlte. Wir wollten nicht zum deutschen Reich; davon brauchten sie uns nicht zu überzeugen. Unsrerseits kein Zweifel an der Kampfbereitschaft unsrer hohen Kader, kein Verdacht. Die Kampfkraft der schweizerischen Armee hing

einzig und allein von unserem Gehorsam ab, so schien es.
                                                    DB, S. 113

Man rechnete mit dem deutschen Überfall. Ich hatte
Angst. Ich war dankbar für alles, was nach Waffe aus-
sah. Ich verweigerte mich jedem Zweifel an unsere Armee.
                                                    DB, S. 15

Die Bevölkerung war armeefreundlich. Räumung eines
Schulhauses, Stroh im Schulhaus oder in der Turnhalle,
aber das putzten wir nachher weg. Geschütze in der Wiese,
aber der Flurschaden vergütet, der Pfarrer bekümmert um
die Töchter im Dorf, der Wirt zufrieden und willig, Teller
zu vermieten auch an die Mannschaft; die Tische wuschen
wir selber. Kinder mit kleinen Kesseln bei der Feldküche;
unsere Verpflegung war gut oder ordentlich. Die Bevölkerung, glaube ich, war überzeugt von der Kampfkraft
ihrer Armee.   DB, S. 21

Was man auch nicht vergißt: dieser Stoff unserer Uniform,
wie er sich anfühlt. Ein starker Stoff, rauh am Hals, wenn
man den Kragen nicht öffnen darf, ein steifer Stoff, wenn
man den Arm biegt oder das Knie, ein Stoff, den man
immerzu spürt. Wie einer meinte: In dieser Hose bist du
ja müde, bevor du den Feind siehst. Auch wenn es einmal
erlaubt war, so konnte man die Ärmel kaum herauf-
krempeln. Ein Waffenrock, geeignet für ein Defilee; ein
Kostüm, das den Mann nicht schont und eben einen Mann
verlangt. Wenn wir Bunker bauten, gab es allerdings
Arbeitskleider, um den Waffenrock zu schonen.   DB, S. 18

Der Kampfwille, den jeder rechte Schweizer sich selber unterstellte: ein Kampfwille für den Fall, daß die Schweiz angegriffen wird. Anders als durch Übungen im friedlichen Gelände war dieser Kampfwille nicht zu bezeugen. Ein ungeprüfter Kampfwille also; ein Vorsatz ohne Beweise der Fähigkeit. Ferner ein Kampfwille mit dem nüchternen Bewußtsein, daß an einen militärischen Sieg nicht zu denken ist, nur an Widerstand so lang wie möglich. Kein Verantwortlicher konnte sagen: Wir sind nicht zu besiegen. Daher wurde wenig gesagt, wie Krieg für uns aussehen könnte. Man hatte zu wissen, daß niemand an unserem Kampfwillen zweifelt, und das verpflichtete uns, selber an diesen Kampfwillen zu glauben. Das tat ich.

DB, S. 103 f

Unsere Presse mußte sich in acht nehmen, vorsichtig sein, Goebbels hatte ein Auge auf sie. Die Armee war auch vorsichtig; sie wünschte sich Soldaten, die nicht grübeln.

DB, S. 26 f

In einer bündnerischen Gebirgs-Infanterie-Kompanie: zum Teil duzten sich Offiziere und Mannschaft, sie kannten sich eben, Leute aus dem gleichen Tal, Uniform so oder so, sie wußten über einander Bescheid, der Briefträger über den Hotelier-Sohn und umgekehrt, und auf die Jagd ging jeder von ihnen. Ihre Mundart war für einen Städter nicht immer leicht zu verstehen. Das Du zwischen einem Füsilier und seinem Oberleutnant hob die Rituale nicht auf, es verschärfte sie eher. Was der Briefträger, der Streckenarbeiter bei der Bahn, der Portier, der Heuer im Sommer und Eisplatzwischer im Winter, der Holzfäller,

der Kellner, der Gipser, der Knecht, der Tankwart, der
kleine Bürolist, der Gepäckträger, der Lastwagenfahrer,
der Dachdecker im bürgerlichen Leben ohne weiteres hin-
nehmen, die hergebrachten Standesunterschiede: hier reizte
sie die militärische Allüre der Besitzer, dieses dörflerische
Du als Schwindel. Der militärische Alltag nicht anders als
in unsrer Einheit, aber unheimlicher; Gehorsam mit Du-
Haß. Man werde einen Offizier über den Haufen schießen, das habe ich in unsrer Einheit nie gehört.   DB, S. 53 f

Obschon die Deutschschweizer, ausgenommen Schriftsteller und vielleicht Pfarrer, sich nur in der Mundart wohl-
fühlen, heißt es in der Befehlssprache unsrer Armee:
Feuer! nicht Füür! Das ruft sich besser. Es heißt: Wache
heraus! Jeder Mann hat die Volksschule besucht und versteht das Hochdeutsch, dessen die Befehlssprache unsrer
Armee sich bedient, ohne Mühe. Zumindest wenn der
Befehl sich an eine größere Gruppe richtet, hören wir
nicht: Helm uuf! sondern: Helm auf! Besteht ein Befehl
aus ganzen Sätzen, so bleibt es allerdings bei der Mundart; sonst könnte die Wirkung komisch sein, spätestens
wenn der Kanonier den vernommenen Befehl wiederholen
muß. Hingegen heißt es wieder: An die Gewehre! Und
das ist überzeugend; wir sollen nicht meinen, daß wir hier
zuhause sind. Die Hochsprache, wenn auch nur in Brocken
verwendbar, gibt dem Befehl eine gewisse Verschärfung,
ohne daß der Befehlende brüllen muß. Ein Feldweibel, der
als Zivilist nie Schriftsprache spricht, muß sich zudem
selber etwas zusammenreißen, wenn er ruft: Abteilung
(statt: Abteilig), Sammlung (statt: Sammlig), und er gewinnt Autorität, wie er sie als Zivilist in keinem Wirtshaus
hat. Dann wieder gibt es Übergänge; ein Leutnant sagt:

Rauchen gestattet! der Korporal leitet weiter: Rouche gschtattet! Ein Hauptmann, der vor einen Major tritt, sagt nicht: D'Batterie isch parad! sondern er sagt: Herr Major, ich melde Batterie bereit! was hinwiederum den Höheren nicht zur Hochsprache nötigt; dieser sagt: Guet. Das steht ihm zu, Heimatlichkeit von oben, die Mannschaft ist dankbar dafür, daß er kein deutscher Major ist.

DB, S. 16 f

Wer sich beklagt, ob zu Unrecht oder zu Recht, fällt am meisten auf. Das weiß man bald. Wer sich nie beklagt, hat sich am wenigsten zu beklagen. Es gibt ein Beschwerde-Recht, auch das weiß man. Steht Aussage gegen Aussage, so gilt die Aussage des höheren Dienstgrades. Ich habe nie eine Beschwerde eingereicht. DB, S. 41

Disziplin — man verstand schon, was das Militär darunter versteht; nur hat das mit Disziplin wenig zu tun. Ein Maulesel, der seine Lasten trägt und geht, wohin man ihn führt, tut es aus der Erfahrung, daß er sonst geschlagen wird. Disziplin setzt eine gewisse Einsicht voraus; Latein als Disziplin, Mathematik als Disziplin, Poesie als Disziplin. Der Wille, etwas zu lernen und zu leisten, kann als Disziplin bezeichnet werden. Das setzt eine Person voraus. Disziplin entspringt dem Bewußtsein, daß man über sich selber verfügt, nicht dem Bewußtsein, daß über uns verfügt wird. Das Militär (so wie ich es erfahren habe) verwechselt Disziplin mit Gehorsam. Diese Verwechslung, verlautbart bei jeder Gelegenheit, war das eigentliche Ärgernis. Befehl ist Befehl, die Kader brauchen uns nicht zu überzeugen; wir nehmen die Säcke schon auf, keine

Sorge, wir tun es aus der Erfahrung des Maulesels. Nur täuschen sich die Kader, wenn sie, mehr oder minder befriedigt, Disziplin feststellen. Was das Militär erzielt, indem es sich auf Strafen verläßt, ist Gehorsam. Disziplin hat ihren Ansatz in einer Freiwilligkeit. Die Verzichte und Beschwerlichkeiten, die Disziplin uns auferlegt, entsprechen einem größeren Wunsch. Disziplin heißt: man verlangt etwas von sich selber. Das tut der Maulesel nicht. Das tut der Kanonier nicht, der von Tagwache bis Lichterlöschen entmündigt wird. Es geht dabei nicht um den Grad der Beschwerlichkeit. Übrigens wissen wir als Erwachsene, daß Disziplin (was diesen Namen verdient) mehr Kräfte auslöst als Gehorsam, der nicht einem eigenen Interesse entspringt und lediglich ein schlaues Verhalten ist, um sich Strafen zu ersparen. Disziplin hat mit Überzeugung zu tun, mit Gewissen, sie hat mit Mündigkeit zu tun.   DB, S. 50 f

Vaterland — vage Chiffre für ein starkes Gefühl, das ich hatte am 2. 9. 1939 auf den Bahnhöfen und im Zug voll Soldaten (ohne vaterländische Lieder). In der Mundart: Vatterland. Das Gefühl, das ich in den Dienst brachte, tönte eher nach Hölderlin, nach Gottfried Keller: Vaterland. Man möchte nicht, daß der Feldweibel, nur weil er einen schon wieder für die Sonntagswache ausgesucht hat, von Vaterland redet. Das konnte auch ein Leutnant nur sagen, solange wir ihn nicht kannten: das Vaterland erwarte von uns. In der Mannschaft wurde das Wort kaum gesprochen; es gehörte den höheren Vorgesetzten. Sogar ein Hauptmann tat besser dran, nicht Vaterland zu sagen, sondern: Unsere Armee. Was das Vaterland von uns verlangte, das bestimmte ja die Armee. Je höher der

Offizier, um so vertrauter schien er mit dem Vaterland
zu sein. Es hatte ihn bestellt, es hatte ihm das Gold an
die Mütze und an den Kragen geheftet, es hatte ihm die
Befehlsgewalt verliehen. Unsere Achtungstellung galt dem
Vaterland. Insofern wirkte es überzeugend und selbstverständlich, wenn ein Major oder ein Oberst sagte:
Euses Vatterland. Selbstverständlicher als wenn
ein Kanonier zu einem Oberst sagen wollte: Euses
Vatterland. Es rechnete mit uns, das Vaterland,
aber wir waren nicht seine Sprecher, seine Stimme.

DB, S. 31 f

Beruf: Architekt

Die Idee, die Stadt der Vorfahren zu erhalten und als
Reminiszenz zu pflegen, finde ich nobel. Und daneben, im
geziemenden Abstand, baue man die Stadt unserer Zeit! In
Tat und Wahrheit aber, soweit ich sehe, machen sie weder
das eine noch das andere, sondern sanieren sich zwischen
jeder Entscheidung hindurch. Architekten voll Talent und
Heimatliebe bauen, wie ich neulich gesehen habe, Ge-
schäftshäuser im ungefähren Maßstab des sechzehnten oder
siebzehnten oder achtzehnten Jahrhunderts. Ein kniffliges
Unterfangen! Zwar ist es möglich, Eisenbeton zu tarnen
(wie eine Schande) mit Quadern aus Sandstein, mit Stich-
bogen und mit echten Erkerlein aus dem Mittelalter; doch
ganz vereinen lassen sie sich nicht, scheint es, Pietät und
Rendite, und was dabei herauskommt, ist ja wohl so, daß
kein Negersoldat auf Urlaub derlei für Altes Europa hält.
Halten sie es dafür? Die Gäßlein-Stadt ihrer Vorfahren
schlechterdings niederzureißen, um Platz zu schaffen für
ihre heutige Stadt, erschiene ihnen verrückt, verbreche-

risch; es gäbe einen papiernen Sturm der Empörung. In Wirklichkeit machen sie etwas viel Verrückteres; sie verpfuschen die Stadt ihrer Vorfahren, ohne dafür eine neue, eine heutige, eine eigene zu bauen. Woher kommt es, daß solcher Schwachsinn, den man als Fremdling sofort sieht, die Einheimischen offenbar nicht erschreckt? S, S. 324

Weniges nur, was Ammann sich denken konnte, dünkte ihn schöner als ein werdendes Haus, eine Stunde auf rohem Gebälk, Sonne und Wind und ziehende Wolken zwischen den Böden, noch wohnt alle Weite darin! Blätterwirbel zieht ein, das erste Geraschel eines neuen Herbstes. Wieder! Leitern stehen an den Bäumen draußen, über den geschorenen Wiesen dämmert ein Hauch von silberner Kühle, von bitterem Rauch wie damals, als sie zum erstenmal auf dem Grundstück stapften, von Süße des Reifens, Wespen schwirren aus Fäulnis gefallener Birnen. Glas dieser Tage voll Bläue und Stille, die sich nicht stören läßt durch das Gehämmer der Leute; Geruch von Holz, von Harz, das aus den föhrenen Balken quillt, Tropfen eines klebrig Hellen, das wie Erinnerung aus Bubenjahren von den Fingern duftet, all das wohnt noch darin, Lärm des Machens, die hallenden Schläge des Nagelns, Wolken von Staub, Flüche, Stimmen, Männer in blauen Hosen und Hüten . . . Stille der abendlichen Sonne auf einem kleinen Gebirge von zerbrochenen Backsteinen. DS, S. 241 f

Auf seinem Tische stapelten sich Muster von Holz, Ulme und Esche, vor allem die Ulme hatte es ihm angetan, Rüster, wie der Fachmann sagt; er dachte sich das Eßzim-

mer in Rüster, während Hauswirt natürlich auf Nußbaum
schwor; wie ja die meisten, sie kennen Nußbaum und
Tanne, und Nußbaum ist vornehm, Tanne gemein. Also
Nußbaum! Sie sind die Tanne nicht wert... Es war ein
Kampf. Handwerker kamen, die sich mit schrägem Kopf
in die weiteren Pläne einweihen ließen, ihren Hut in den
Händen, und Hortense hatte zur Zeit nur wenig von ihrem
Mann; er schwitzte hinter den Unternehmern her wie ein
Bub, der die Geißen bergauf treibt, Peitsche knallend,
Steine werfend. Er stand in den Werkstätten, im Lärm der
heulenden Sägen, verhandelte unter dem scharfen Gesang,
der bei jedem Brett, das die Arbeiter einschieben, in alle
Himmel aufjauchzt und wieder in Stöhnen absinkt; sie
stapften durch Wächten von Sägemehl, durch raschelnde
Hobelspäne wie Herbstlaub. DS, S. 238 f

Das erste Mal, als der junge Ammann auf seinem eigenen
Bau stand, war es ein heißer, greller, staubiger Tag. Für
Augenblicke hörte man nur das Gesumm einer Biene, die
kommt und wieder verschwindet, ihre verlorenen Schleifen voll sommerlicher Stille, nichts weiter, einmal vielleicht eine Staffel von Flugzeugen in der Höhe des Nachmittags. Ab und zu auch das hallende Geklatsch, wenn sie
Bretter aufeinander legten. Handlanger nagelten das Ge-
rüst in die blaue Stille hinein. Ammann erlebte zum
erstenmal seinen Grundriß in natürlicher Größe, noch ohne
Räume allerdings, nur als einen grauen Betontisch mitten
in Erdhügeln, zwischen hohen, schlanken Gerüststangen
... die Hände in den Hosentaschen, seine Pläne unter dem
Arm, stand Ammann auf Parterre: das war nun der erste
Schritt zur Verwirklichung, wie der Einschlag einer
Bombe, nichts als eine große Wunde von brauner klaf-

fender Erde, eine Baracke daneben, eine Latrine, von
eiligem Unkraut und Disteln umwuchert . . .

DS, S. 236 f

»Hier«, sagte der junge Architekt, einen gelben Klappmeter
öffnend, »käme ungefähr die hintere Hausecke hin . . .«
Hauswirt oben an der Straße, wo auch sein blauer Wagen
stand, schien andächtig bemüht, seine Einbildung an dem
besagten Rebstickel anzusetzen, den der Architekt nach-
hilfsweise mit seinem Hut versehen, ein wenig vogelscheu-
chenhaft, und sich den Rest seines künftigen Landhauses
hinzuzudenken. Jedenfalls nickte Hauswirt. Eigentlich sah
er damals nichts als einen Hang voll verwahrloster Reben,
darin den jungen Mann, der nicht ohne wachsende Bege-
sterung, von der unverbindlichen Vielfalt des Möglichen
erregt, mit seinem gelben Meter in der blauen herbstlichen
Luft umherzeigte, die sein Haus dereinst umschließen
sollte, einem Verrückten nicht unähnlich, der Ecken und
Wände zeigt, wo nichts als Luft ist, und von Räumen redet,
die bereits über den Weinbergen hingen und gewissermaßen nur noch einzufangen und einzumauern waren, und
schließlich wieder wie ein Zauberer mitten durch eben
diese Mauern, die er frech ins Blaue behauptete, hindurch-
stapfte und mit einer einzigen Handgebärde alles wieder
auslöschte. Damals allerdings war es ein Haus wie kein
zweites auf Erden, hatte es doch Aussicht durch alles hindurch, voll einer milden und herbstlich versponnenen
Sonne, die auf keine Wände stieß, ohne Schatten, Obstbäume in den Tapeten, und durch das Dach, das der Architekt mit einer umständlich verlängerten Latte zeigte, zog
munter das leichte Gewölk, Flocken von metallischem
Staub. Es roch nach Rauch von den Feldern herüber, nach

verbrannten Kartoffelstauden, und mitten aus einer goldenen Stille heraus, wie über die eigene Reife verblüfft, plumpste das Obst in die feuchte Wiese.

DS, S. 235 f

Unser Verhältnis zur eignen Zeit, eben jener Ton: Und so kommt der Geist mehr und mehr auf den Hund und schließlich auf uns ... Auf der Akropolis gibt es den sogenannten Perserschutt, Skulpturen der Vorfahren, verwendet zum Hinterfüllen der neuen Mauer: die das tun, sind zweifellos, daß sie ihr eigenes Kunstwerk schon selber schaffen. Ähnlich wieder in Italien: die oft schamlose Plünderung antiker Bauten, Plünderung nicht durch Vandalen, sondern Architekten, die Säulen brauchen, Marmor, um selber zu bauen. Her damit! jetzt leben wir. Ein ungeheures Gefühl für die Gegenwart, pietätlos wie das Leben, das Antihistorische dieser Haltung sogar bei der Renaissance, die sich selber vorgibt, die Antike zu wollen; aber sie heißt ja auch nicht Reconstruction, sondern Renaissance. Überall das lebendige Bewußtsein, daß nicht das Geschaffene wichtig ist, nicht in erster Linie, sondern das Schaffen. Ich würde sagen: auch wo das Neue jedenfalls minderen Wertes sein wird, ist es wichtiger, daß es geschaffen wird, wichtiger als die Bewahrung, deren Sinn damit nicht geleugnet wird. Es gehört zu den Faszinationen von Italien, die sich in persönliches Glücksgefühl verwandeln: zu sehen, wie jede Epoche sich als Gegenwart ernstnimmt, wie rücksichtslos sie vorgeht, um zu sein.

Und wir?

Vor wenigen Jahren hatten wir in Zürich einen architektonischen Wettbewerb für ein neues Kunsthaus; jedermann erkennt, daß der Platz, der vorgesehene, eine ganz erfreu-

liche, freie, restlose Lösung nicht gestattet, doch man
getraut sich nicht, ein altes Zürcherhaus mittleren Wertes
einfach abzureißen. Das Neue also, das Unsere, ist im
Grunde schon verworfen, bevor wir unseren Zeichenstift
ergreifen. In dieser Luft dürfen wir nun schaffen, von keiner Erwartung begleitet, bemuttert von historischer Pietät,
die alles Maß übersteigt, umgeben von der fraglosen
Selbstpreisgabe unsres Geschlechtes . . . Bildung als Perver-
sion ins Museale —   TaI, S. 192 f

Versuche mit Liebe

Du sollst dir kein Bildnis machen
Es ist bemerkenswert, daß wir gerade von dem Menschen,
den wir lieben, am mindesten aussagen können, wie er sei.
Wir lieben ihn einfach. Eben darin besteht ja die Liebe,
das Wunderbare an der Liebe, daß sie uns in der Schwebe
des Lebendigen hält, in der Bereitschaft, einem Menschen
zu folgen in allen seinen möglichen Entfaltungen. Wir wissen, daß jeder Mensch, wenn man ihn liebt, sich wie verwandelt fühlt, wie entfaltet, und daß auch dem Liebenden
sich alles entfaltet, das Nächste, das lange Bekannte. Vieles
sieht er wie zum ersten Male. Die Liebe befreit es aus
jeglichem Bildnis. Das ist das Erregende, das Abenteuer-
liche, das eigentlich Spannende, daß wir mit den Menschen, die wir lieben, nicht fertigwerden: weil wir sie lieben; solang wir sie lieben. Man höre bloß die Dichter,
wenn sie lieben; sie tappen nach Vergleichen, als wären
sie betrunken, sie greifen nach allen Dingen im All, nach
Blumen und Tieren, nach Wolken, nach Sternen und Mee-
ren. Warum? So wie das All, wie Gottes unerschöpfliche
Geräumigkeit, schrankenlos, alles Möglichen voll, aller

Geheimnisse voll, unfaßbar ist der Mensch, den man liebt—
Nur die Liebe erträgt ihn so.   TaI, S. 31

Halten Sie Geheimnislosigkeit für ein Gebot der Ehe oder
finden Sie, daß gerade das Geheimnis, das zwei Menschen
voreinander haben, sie verbindet?   TaII, S. 62

Meine erste Erfahrung mit einer Frau, die allererste, habe
ich eigentlich vergessen, das heißt, ich erinnere mich
überhaupt nicht daran, wenn ich nicht will. Sie war die
Gattin meines Lehrers, der mich damals, kurz vor meiner
Maturität, über einige Wochenende zu sich ins Haus nahm;
ich half ihm bei den Korrekturen einer Neuauflage seines
Lehrbuches, um etwas zu verdienen. Mein sehnlichster
Wunsch war ein Motorrad, eine Occasion, das Vehikel
konnte noch so alt sein, wenn es nur lief. Ich mußte Figuren zeichnen, Lehrsatz des Pythagoras und so, in Tusche,
weil ich in Mathematik und Geometrie der beste Schüler
war. Seine Gattin war natürlich, von meinem damaligen
Alter aus gesehen, eine gesetzte Dame, vierzig, glaube ich,
lungenkrank, und wenn sie meinen Bubenkörper küßte,
kam sie mir wie eine Irre vor oder wie eine Hündin; dabei
nannte ich sie nach wie vor Frau Professor. Das war
absurd. Ich vergaß es von Mal zu Mal; nur wenn mein
Lehrer ins Klassenzimmer trat und die Hefte aufs Pult
legte, ohne etwas zu sagen, hatte ich Angst, er habe es
erfahren, und die ganze Welt werde es erfahren. Meistens
war ich der erste, den er aufrief, wenn es ans Verteilen
der Hefte ging, und man mußte vor die Klasse treten —
als der einzige, der keinen einzigen Fehler gemacht hat.
Sie starb noch im gleichen Sommer, und ich vergaß es,

wie man Wasser vergißt, das man irgendwo im Durst
getrunken hat. Natürlich kam ich mir schlecht vor, weil
ich es vergaß, und ich zwang mich, einmal im Monat an
ihr Grab zu gehen; ich nahm ein paar Blumen aus meiner
Mappe, wenn niemand es sah, und legte sie geschwind auf
das Grab, das noch keinen Grabstein hatte, nur eine
Nummer; dabei schämte ich mich, weil ich jedesmal froh
war, daß es vorbei ist.   WALTER FABER   HF, S. 140 f

Der Mann sieht sich als Herr der Welt, die Frau nur als
seinen Spiegel. Der Herr ist nicht gezwungen, die Sprache
der Unterdrückten zu lernen; die Frau ist gezwungen, doch
nützt es ihr nichts, die Sprache ihres Herrn zu lernen, im
Gegenteil, sie lernt nur eine Sprache, die ihr immer
unrecht gibt.   HANNA PIPER   HF, S. 198

Es ist stets wieder etwas Wunderbares, dieser Schauer
erster Vertraulichkeit, etwas wie ein Zauberstab über alle
Welt, die plötzlich wie zu schweben beginnt, etwas so
Leises, was doch alles übertönt. Unwillkürlich, aber dann
von unverhoffter Seligkeit wie betäubt, so daß ich etwas
anderes als unsere kleine Berührung kaum wahrzunehmen
vermag, habe ich meine Hand auf ihre Schulter gelegt.
Eine selige Weile lang, bis das neue Du auch wieder zur
Gewöhnung und sozusagen klanglos geworden ist, fühlt
man sich ja allen Menschen wie verschwistert, inbegriffen
den Kellner, der den Whisky bringt; man hat ein Gefühl,
nun bedürfe es in dieser Welt überhaupt keiner Verstellung
mehr, ein Gefühl so friedlichen Übermuts.

                                                    S, S. 104 f

Wenn in den Händen und Augen und Lippen einer Frau sich Erregung ausdrückt, Begierde usw., weil Sie sie berühren: beziehen Sie das auf sich persönlich? TaII, S. 145

Alleinsein ist der einzigmögliche Zustand für mich, denn ich bin nicht gewillt, eine Frau unglücklich zu machen, und Frauen neigen ja dazu, unglücklich zu werden. Ich gebe zu: Alleinsein ist nicht immer lustig, man ist nicht immer in Form. Übrigens habe ich die Erfahrung gemacht, daß Frauen, sobald unsereiner nicht in Form ist, auch nicht in Form bleiben; sobald sie sich langweilen, kommen die Vorwürfe, man habe keine Gefühle. Dann, offen gestanden, langweile ich mich noch lieber allein. Ich gebe zu: auch ich bin nicht immer für Television aufgelegt (obschon überzeugt, daß die Television in den nächsten Jahren auch noch besser wird, nebenbei bemerkt) und Stimmungen ausgeliefert, aber gerade dann begrüße ich es, allein zu sein. Zu den glücklichsten Minuten, die ich kenne, gehört die Minute, wenn ich eine Gesellschaft verlassen habe, wenn ich in meinem Wagen sitze, die Türe zuschlage und das Schlüsselchen stecke, Radio andrehe, meine Zigarette anzünde mit dem Glüher, dann schalte, Fuß auf Gas; Menschen sind eine Anstrengung für mich, auch Männer. Was die Stimmung betrifft, so mache ich mir nichts draus, wie gesagt. Manchmal wird man weich, aber man fängt sich wieder. Ermüdungserscheinungen! Wie beim Stahl. Gefühle, so habe ich festgestellt, sind Ermüdungserscheinungen, nichts weiter, jedenfalls bei mir. WALTER FABER

HF, S. 129 f

Bund der Frauen? Sie erwähnen einfach nicht, was wir
nicht verstehen, und behandeln uns wie Unmündige.
WALTER FABER   HF, S. 261

Recht & Ordnung

Man kann es sich leisten, man läßt sich malen, wie früher
die Leute vom Hof, man geht in Konzerte. Kenntnis der
Künste als Ausweis über etlichen Wohlstand! Man kennt
seine Verpflichtung gegenüber der Kultur. Unsereiner!
Zu Hause steht die Kultur als alte Pendule auf einem
gotischen Schrank. Und der Künstler: wenn er tot ist und
im Lexikon, durchaus annehmbar, als Lebender von
üblem Geruch, von verdächtigem Lebenswandel, von
einem vollendeten Mangel an Erziehung und Form, von
gottlosen Anschauungen. Höchster Rang eines Künstlers:
wir loben ihn. Wir! Man drückt ein Auge zu, spricht mit
ihm, ehrt ihn mit einem Empfang, man ist der König,
der die Ehren vergibt, und der Künstler als rührender
armer Kerl, der sich irrsinnig wichtig nimmt, eitel, ehr-
geizig, stets von seinem Talent überzeugt und verwahr-
lost, im Umgang schwierig, da er mit Vorliebe liederlich
ist, kaum ein Wort hält und keine Ahnung hat von Haltung. Unser Verhältnis zu ihm: Achtung für das Talent,
so es wirklich vorhanden ist, Distanz von seiner Person
auf jeden Fall, ein bißchen Neid um seine zigeunerhaften
Freiheiten, ein bißchen Verachtung, ein bißchen Gönner-
tum und Herablassung, ein bißchen Unbehagen ringsum,
man duldet ihn durchaus als eine Schrulle der Natur, ein
großes Kind, eine Art von Hofnarr für den bürgerlichen
Feierabend . . .   DS, S. 92 f

Geld war ihm selbstverständlich, die bekannteste Spielregel der Welt; seinerseits längst darüber hinaus, daß es für ihn die Bedeutung eines dringenden Zieles haben konnte, nahm er es insofern ernst, als er in ihm einen sachlichen Gradmesser für die eigene Tüchtigkeit und Richtigkeit geschäftlichen Denkens erblickte.
HERR HAUSWIRT   DS, S. 122

Morgen bei Lampenlicht, draußen die Schleier von sinkenden Flocken, die Drähte voll Schnee; Schlag acht Uhr kamen sie jedesmal aus dem Lift, hängten ihre Mäntel an den Haken, knisterten einen Imbiß aus der Tasche und setzten sich wieder an ihre Arbeit, an ihre Reißbretter oder Schreibmaschinen, gehorsam, gewissenhaft wie ein Milchwagenroß, das seine tägliche Strecke kennt, noch wenn man ihm den Kopf abschlagen würde! Einer rupft jedesmal den Kalender ab.
»Freitag!« sagte er, »In einer Woche gibt es Zahltag.«
Es ist das Dasein der meisten: ein Dasein von Sklaven, die sich freuen, daß schon wieder ein Monat ihres Lebens vorüber ist. Man könnte sie grausamerweise fragen, wozu sie denn leben? Sie tun es aus purer Angst vor dem Sterben, nichts weiter. Sommer mit zitternder Bläue, Wind in den Gräsern, Wälder in rauschendem Regen: all das verkaufen sie, um leben zu können. Was bleibt ihnen anderes übrig? Was jeder kann: seine Freiheit verpfänden. Jedes Geschöpf, wenn es schon einmal geboren ist, möchte leben. Und eben darum sitzen sie an diesen Tischen, bücken sich über eine Schreibmaschine oder einen Rechenschieber, während draußen ihr eigenes Leben vergeht. Das ist die große Galeere. Sie sehen, daß alle es müssen, fast alle; sie tragen es fast ohne Anflug von Verzweiflung. Ein

anderes Dasein ist ihnen nicht möglich; so muß es wohl
das wahre sein. Sie können sich ein anderes schon nicht
mehr denken — (Um nicht wahnsinnig zu werden.)

DS, S. 152 f

Das Verhältnis zum Geld, schien ihr, war im Grunde eine
Sache der Begabung, nicht lernbar. Geld hatte ihre beiden
Eltern verheiratet; sie haßte es, es ging bis zum Ekel,
überhaupt ein Metall anzufühlen. Eine traumhafte Art
des Rechnens, die tiefer überzeugte, zwingender als alle
Ergebnisse auf Zetteln, ließ sie in hellem Entsetzen
erwachen, sie müßte verhungern. Einmal mußte es an den
Tag kommen, vor dem sie gelegentlich wie vor einem
öffentlichen Pranger eine tödliche Angst hatte.

YVONNE HINKELMANN   DS, S. 51

Wirklicher Eifer zur Arbeit, Leidenschaft, wie ihr der
Maler mit dem schlechten Gewissen anfänglich verfallen
war, wurde hier durchaus nicht verlangt, nicht einmal
erwartet, galt eher als Heuchelei und gefährdete eigentlich bloß die Kameradschaft zu den andern. Entspannung
hingegen, wie sie unvermeidlich einem solchen Eifer folgen mußte und sich darin kundgab, daß man beispielsweise die Arme reckte, sich auf den Fenstersims setzte
oder einen Kaffee trank, eine Wolke zeichnete oder sonst
eine Viertelstunde ins Freie hinausging, gefährdete die
ganze Anstellung überhaupt! Noch in den unleugbaren
Ebben menschlichen Arbeitens lag man beharrlich über
dem Tisch; insgeheim seine Fingernägel putzend, lungerte
man gewissermaßen in sich selber herum, allzeit bereit,
die Pose eines steten Arbeitens anzunehmen. Leerlauf gab

es also auch hier, kein Wort davon. Daß hier, gerade in dieser Welt des Rechnens, auch der Leerlauf nach Stunden bezahlt wurde, das machte Reinhart noch manches Mal stutzig, als wäre alles nicht ganz wirklich, nicht ganz in Ordnung, ja er mußte sich fragen, ob ihn am Ende nicht alle bloß zum Narren hielten? Es war seine erste bürgerliche Stelle.   DS, S. 154 f

Eifersucht in der Liebe

Die Sprache schon meint es nicht gut, wenn sie vom Gehörnten redet oder vom Hahnrei, ein besseres Wort hat sie nicht, und es ist kein Zufall, daß die Eifersucht, wie bitter sie auch in Wahrheit schmeckt, so viele Possen füllt. Immer droht ihr das Lächerliche. Sogar Kleist, der Tragiker, muß es in eine Komödie wenden, wenn er den Amphitrion zeigt, der immerhin von einem Zeus betrogen wird. Offenbar ist die Eifersucht, obschon sie Entsetzliches anzurichten vermag, nicht eine eigentlich tragische Leidenschaft, da ihr irgendwo das Anrecht fehlt, das letzte, das ihr die Größe gäbe —
Othello?
Was uns an Othello erschüttert, ist nicht seine Eifersucht als solche, sondern sein Irrtum: er mordet ein Weib, das ihn über alles liebt, und wenn dieser Irrtum nicht wäre, wenn seine Eifersucht stimmte und seine Frau es wirklich mit dem venezianischen Offizier hätte, fiele seine ganze Raserei (ohne daß man ein Wort daran ändern müßte) unweigerlich ins Komische; er wäre ein Hahnrei, nichts weiter, lächerlich mitsamt seinem Mord.   TaI, S. 423 f

Wie ist es möglich, daß sich die Eifersucht, wie es denn
öfter vorkommt, sogar auf Tote beziehen kann, die mindestens als leibliche Gestalt nicht wiederkommen können?
Nur aus Angst vor dem Vergleich.   TaI, S. 422

Dank an Kollegen und Zeitgenossen

Beim Lesen

Was zuweilen am meisten fesselt, sind die Bücher, die
zum Widerspruch reizen, mindestens zum Ergänzen: —
es fallen uns hundert Dinge ein, die der Verfasser nicht
einmal erwähnt, obschon sie immerzu am Wege liegen,
und vielleicht gehört es überhaupt zum Genuß des Le-
sens, daß der Leser vor allem den Reichtum seiner eignen
Gedanken entdeckt. Mindestens muß ihm das Gefühl erlaubt sein, das alles hätte er selber sagen können. Es
fehlt uns nur die Zeit, oder wie der Bescheidene sagt: Es
fehlen uns nur die Worte. Und auch das ist noch eine
holde Täuschung. Die hundert Dinge nämlich, die dem
Verfasser nicht einfallen, warum fallen sie mir selber erst
ein, wenn ich ihn lese? Noch da, wo wir uns am Widerspruch entzünden, sind wir offenbar die Empfangenden.
Wir blühen aus eigenen Zweigen, aber aus der Erde
eines andern. Jedenfalls sind wir glücklich. Wogegen ein
Buch, das sich immerfort gescheiter erweist als der Leser,
wenig Vergnügen macht und nie überzeugt, nie berei-
chert, auch wenn es hundertmal reicher ist als wir. Es
mag vollendet sein, gewiß, aber es ist verstimmend. Es
fehlt ihm die Gabe des Gebens. Es braucht uns nicht. Die
anderen Bücher, die uns mit unseren eigenen Gedanken
beschenken, sind mindestens die höflicheren; vielleicht
auch die eigentlich wirksamen. Sie führen uns in den

Wald, wo sich die Wege in Sträuchern und Beeren verlaufen, und wenn wir unsere Taschen gefüllt sehen,
glauben wir durchaus, daß wir die Beeren selber gefunden haben. Oder haben wir nicht? Das Wirksame solcher
Bücher aber besteht darin, daß kein Gedanke uns so
ernsthaft überzeugen und so lebendig durchdringen
kann wie jener, den uns niemand hat aussprechen müssen, den wir für den unseren halten, nur weil er nicht auf
dem Papier steht —.

Natürlich gibt es noch andere Gründe, warum die vollendeten Bücher, die nur noch unsere Bewunderung zulassen, nicht jederzeit unsere liebsten sind. Wahrscheinlich
kommt es darauf an, was wir im Augenblick dringender
brauchen, Abschluß oder Aufbruch, Befriedigung oder
Anregung. Das Bedürfnis wechselt wohl von Mensch zu
Mensch, ebenso von Lebensalter zu Lebensalter, und auf
eine Weise, die man gern ergründet sähe, hängt es jedenfalls auch mit dem Zeitalter zusammen. Mindestens
ließe sich denken, daß ein spätes Geschlecht, wie wir es
vermutlich sind, besonders der Skizze bedarf, damit es
nicht in übernommenen Vollendungen, die keine eigene
Geburt mehr bedeuten, erstarrt und erstirbt. Der Hang
zum Skizzenhaften, der unsere Malerei schon lange beherrscht, zeigt sich auch im Schrifttum nicht zum erstenmal; die Vorliebe für das Fragment, die Auflösung über-
lieferter Einheiten, die schmerzliche oder neckische Beto-
nung des Unvollendeten, das alles hatte schon die Romantik, der wir zum Teil so fremd, zum Teil so verwandt sind. Das Vollendete: nicht gemeint als Meister-
schaft, sondern als Geschlossenheit einer Form. Es gibt,
so genommen, eine meisterhafte Skizze und eine stüm-
perhafte Vollendung, beispielsweise ein stümperhaftes
Sonett. Die Skizze hat eine Richtung, aber kein Ende;

die Skizze als Ausdruck eines Weltbildes, das sich nicht
mehr schließt oder noch nicht schließt; als Scheu vor einer
förmlichen Ganzheit, die der geistigen vorauseilt und nur
Entlehnung sein kann; als Mißtrauen gegen eine Fertig-
keit, die verhindert, daß unsere Zeit jemals eine eigene
Vollendung erreicht —. TaI, S. 117 f

Büchner war ein Dichter des politischen Engagements,
auch wenn er seinen *Danton* nicht geschrieben hat, um
Revolution zu lehren, sondern »um sich Geld zu machen«, wie sein Bruder zitiert, und wie man hinzufügen
müßte: aus Lust an seinem Genie und aus Not, nämlich
aus der Not eines politischen Menschen. Ekel vor dem
Handeln, die tödliche Langeweile, die seinen Danton befällt, so daß er lieber nicht mehr reden würde, der Wort-
mächtige, und sich eigentlich nicht wehrt, die Langeweile,
die Leonce sich mit sprachlichen Seifenblasen verspielt,
während sie bei Lenz zum Irrsinn erstarrt, das ist Büchner, der eben noch die Welt, nämlich das Großherzogtum
Hessen, verändern wollte und in einem Liebesbrief
schreibt: »Ich fühle mich wie zernichtet unter dem gräß-
lichen Fatalismus der Geschichte.« Und im selben Brief:
»Was ist das, was in uns lügt, mordet, stiehlt? Ich mag
den Gedanken nicht weiterdenken. Könnte ich aber dies
kalte und gemarterte Herz an deine Brust legen!« Es ist,
meine ich, nicht Dispens von der Politik, wenn Büchner
dichtet. Im Gegenteil. »Ich finde in der Menschennatur
eine entsetzliche Gleichheit, in den menschlichen Verhältnissen eine unabwendbare Gewalt, allen und keinem verliehen. Der einzelne nur Schaum auf der Welle«, heißt es
im selben Brief an die Braut: »— ein lächerliches Ringen
gegen ein ehernes Gesetz, es zu erkennen das Höchste,

es zu beherrschen unmöglich.« Und man möchte beifügen: es darzustellen die einzige Genesung aus unsrer Ohnmacht. — Weder *Danton* noch *Woyzeck* sind Tendenzstücke; dennoch wüßten wir, wo Büchner steht, auch ohne den *Hessischen Landboten,* und spüren sein politisches Engagement gerade dort, wo er durch Gestaltung sich persönlich davon befreit — sogar noch im Lustspiel, in *Leonce und Lena,* wo das Gelächter, so wenigstens höre ich es, aus der Inversion des Engagements entsteht.

RA 1958/1

Albin Zollinger, mitten in seinem Schaffen gestorben an einer Herzlähmung, war ein Dichter von seltener Berufung. Seine letzten Bücher, alle von einer großen Unruhe geschrieben, lagen auch in diesen Tagen auf dem Tisch, stets wieder gelesen, in einer Weise gekannt, die bald schon einer Besessenheit gleichkommt, so, daß sie zuzeiten alles andere verdrängen. Auch das gründliche Bewußtsein ihrer Mängel vermag nichts dagegen. Man liebt sie, wie unter Zwang, um der Glut ihres Herzens willen, um einer Sprache willen, die das Tosen eines Sturzbaches hat, dann wieder die Lieblichkeit eines Vogelliedes, die blühende Vielfalt aller irdischen Gewächse, um einer ungestümen Echtheit willen. Immer wieder ist es, als sehe man in ihnen das Wetterleuchten eines nahen Gelingens, wie es innerhalb unseres Landes nicht alle Jahrzehnte beschieden ist. Seine Gedichte vor allem zeigen ihn schon auf den hohen, einsamen, unsäglich gefährlichen Graten der Vollendung, so, daß wir ihn fortan wie ein Schicksal verfolgen, ohne ihn noch persönlich zu kennen. Das Glück, daß diese Verse einem Zeitgenossen gelungen sind, holt sie noch liebenswerter ins Gedächtnis. RA 1941/2

Räume unbekannten Lebens, unerfahrene Räume, Welt, die noch nicht geschildert worden ist, nennenswert als Fakt, das ist der Raum der Epik. Europa hat sich in allen landschaftlichen, in allen historischen, aber auch in fast allen gesellschaftlichen Räumen schon oft genug, meisterhaft genug, mehr als genug geschildert; die epische Eroberung, die die Dichtung junger Völker beherrscht, ist so weit noch möglich, wie es etwa in der Schweiz noch einzelne unbestiegene Nebengipfel geben mag; eine ganze Welt aber, eine entscheidend andere, eine Terra incognita, die unser Weltbild wesentlich verändern könnte, haben unsere Epiker nicht mehr abzugeben.

Episch ist die Schilderung, die Mitteilung, nicht die Auseinandersetzung — die Auseinandersetzung mit einer Welt, die nur insofern geschildert wird, als sie zur Auseinandersetzung unerläßlich ist, erfüllt sich im Drama, dort am lautersten; der Roman, der sich auseinandersetzt, ist schon eine epische Spätlese: — die kostümierte Essayistik bei Thomas Mann.

Schilderung — muß aber nicht die Schilderung einer vorhandenen Welt sein; es kann auch eine entworfene Welt sein. Im Anfang ist es das immer; die Sage. Und am Ende, gleichsam als letzte epische Chance, steht die Phantastik.
(Homer, Balzac, Kafka.)
Hinter der homerischen Lust, zu schildern, steht das schöpferische Bedürfnis, sich eine Welt zu geben. Die Epik, die homerische, als Mutter unsrer Welten: erst dadurch, daß eine Welt erzählt wird, ist sie da. Und erst wenn sie da ist, kann sie erobert werden, wie es heute noch die amerikanische Epik tut. Und erst wenn sie er-

obert ist, kann die Auseinandersetzung mit ihr beginnen —.

(Was mich an der amerikanischen Epik am meisten erregt: das Hinnehmende, die urteilfreie Neugierde, das aufregende Ausbleiben der Reflexion.)

Terra incognita — wenn es stimmt, daß dies der Raum der echten Epik ist, ließe sich ja denken, daß das Neue an unsrer Gegenwart, das Nie-Gewesene beispielsweise der zerstörten Städte, eine epische Chance darstelle. Warum stimmt das nicht? Weil es wesentlich keine neue Welt ist, die da ans Licht zu heben wäre durch epische Entdeckung; sondern nur das zerstörte Gesicht jener alten, die wir kennen, und nennenswert nur in der Abweichung, will sagen: die Ruine setzt voraus, daß wir ihre frühere Ganzheit kennen oder ahnen, sie ist wenig ohne die Folie ihres Gestern, nennenswert nur durch Vergleich, durch Reflexion —.   TaI, S. 241 f

Beim Lesen:

Es gibt immer weniger Werke, die wir wirklich bewundern können, aber die wirkliche Bewunderung wird immer größer, je länger wir uns selbst versucht haben. Bewunderung: Das könnte mir nie gelingen, und wenn ich siebenmal leben dürfte. Und vor allem, scheint mir, schärft sich der Unterschied zwischen Bewunderung und Achtung; ein Unterschied ohne Übergang. Achtung nenne ich es, wenn der andere, den ich lese, zwar weiter gekommen ist als ich, aber er geht auf der gleichen Ebene, ich werde ihn nicht mehr erreichen, aber er ist nicht unerreichbar von vornherein, er hat im wesentlichen keine anderen Mittel als ich, vielleicht hat er mehr

davon, vielleicht nutzt er sie glücklicher, sein Vorsprung
sei nicht geleugnet, aber sein Gelingen liegt nicht jenseits
meines Begreifens. Das ist die große Mehrzahl der
Schriftsteller und Dichter, die man achtet, zuweilen auch
beneidet, etwa wie Sportler einander achten oder benei-
den, wenn sie unterliegen — Dann aber, und das ist das
Erlösende der wirklichen Bewunderung, gibt es solche,
die uns von jedem Vergleiche befreien; der Unterschied
ist unerbittlich klar: wir gehen — er fliegt . . .
(Trakl zum Beispiel.)
Von den Fliegenden, denke ich, kann der Fußgänger wenig lernen, was für ihn nicht eine Pose bliebe.   TaI, S. 405

Nie werde ich über den Pfannenstiel wandern, ohne daß
ich länger oder kürzer an den Dichter denke, den ich von
allen zeitgenössischen Landsleuten am meisten liebe,
nämlich an Albin Zollinger, der diese Landschaft ein für
allemal dargestellt hat. Es war Herbst und vor sechs Jahren, ich hatte eben sein jüngstes Buch gelesen, und Constanze mußte viel darüber hören, als wir diesen Weg
hinuntergingen, zum ersten Male zusammen. Ich führte
Constanze in die kleine Wirtschaft, die ich schon von
mancher Wanderung kannte; es gibt dort einen kleinen
Tisch aus Nußbaum, der in einer Fensterecke steht, wo
man zusammensitzen und plaudern kann und wunderbar
über das Land sieht; ich freute mich, daß ich dieses Tischlein wußte, und da es auch Werktag war, zweifelte ich
nicht, daß es uns gehören würde. Groß war die Enttäuschung, als wir die Stube betraten; das Tischlein war bereits von einem Paar besetzt, und natürlich war ich überzeugt, daß sie das Tischlein weniger verdienten als wir.
Es schien schon ein reiferes Paar; sie tranken Wein und

aßen Schinken, und mein Unmut drängte mich, die Leute zu mustern. Der Mann, der sehr unscheinbar wirkte, aber einen bemerkenswerten Kopf über seinem schlanken Körper trug, konnte niemand anders als Zollinger sein. Wir bestellten ebenfalls Schinken. Da ich ihn immer wieder anzusehen versuchte, kamen wir selber zu keinem Gespräch, sein Gesicht war hart und entschieden, männlich, zart und schüchtern zugleich. Er redete sehr leise. Ich spürte, wie mein Herz klopfte über dem Gedanken, ob ich ihn ansprechen sollte oder nicht. Ihre Teller waren leer, und jeden Augenblick konnte es sein, daß sie aufbrachen. Er trug einen Pullover unter der Jacke; seine ganze Kleidung erinnerte an einen Dorflehrer. Wenn er mit der Wirtstochter abrechnete, hatte er den vertraulichen Ton eines kleinen Mannes, der aus der Nachbarschaft kommt, der es nicht gewohnt ist, daß man ihn bedienen muß; irgendwie ist es ihm nicht recht. Er bat um ein Papier, damit er den restlichen Schinken einpacken konnte; es war in den Kriegsjahren. Unterdessen überlegte ich mir immerzu, was ich ihm, wenn ich ihn ansprächre, überhaupt zu sagen hätte. Anderseits hatte ich eine Stunde lang über eben diesen Menschen gesprochen, dessen Werk mich begeisterte; warum sollte ich es ihm verschweigen? Er fragte bereits, wie lange man zum Bahnhof gehe; alles sehr unauffällig. Einmal hatte ich ihn an einer Vorlesung gesehen; irgendwie schien er mir kleiner, da ich ihn aus der Nähe sah, auch jünglingshafter und wie einer, der hinter seiner Verschüchterung jubelt und tanzt, ohne daß die Welt es sehen soll; er kam mir vor wie ein Rumpelstilz, der durch die Wälder geht und meint, niemand kenne seinen Namen, niemand kenne seine Visionen. Als er dann den letzten Schluck aus seinem Gläschen kippte, hörte ich plötzlich mich selber sagen:

»Verzeihen Sie —«

Befremdet wendet er sich um.

»Sie sind doch Albin Zollinger —«

»Ja«, sagte er. »Warum?«

Jubel und Tanz schienen aus seinen Augen verschwunden; das Verschüchterte, das er mindestens seit unserem Eintreten hatte, steigerte sich fast zur Abwehr, mindestens zur Miene eines lauernden Mißtrauens. Ich sagte, daß ich eben sein letztes Buch gelesen hätte. Seine Miene wartete ohne viel Zuversicht. Er sah nicht ermunternd aus. Aber irgendwie mußte ich ja fortfahren, und da ich schon einmal über ihn geschrieben hatte, sagte ich ihm, wie ich heiße. Das Peinliche, daß ich als der Jüngere, der seinerseits nichts vorzuweisen hatte, den reifen Mann auszeichnete, wurde mir durchaus bewußt, und irgendwie begriff ich seinen Irrtum, daß er mich beharrlich als Herr Doktor anredete. Was den Augenblick rettete, war seine rührende Freude; er blickte wie ein Jüngling, der zum erstenmal ein ganzes Lob vernimmt, oder mindestens schien er glücklich, daß ihm nicht eine grobe Mißachtung begegnete. Er redete dann über Thomas Mann, den er als Meister der Akkuratesse bezeichnete, über die Grenzen sprachlichen Ausdrucks, über die erschreckende Erfahrung, daß jeder Versuch, sich mitzuteilen, nur mit dem Wohlwollen der andern gelingen kann. Er klagte nicht über das mangelnde Wohlwollen; er glühte nur vor Verlangen, daß er einmal in seinem Leben, wie er sagte, eine Seite schreiben könnte, die niemand mißdeuten kann. Leider unterbrach er das Gespräch, als er bemerkte, daß nur wir Männer es führten; er wolle mich der jungen Dame nicht wegnehmen, sagte er und bat um meine Adresse, daß wir uns in der Stadt treffen können. Auch war es ja Zeit, wenn sie den Zug noch erreichen wollten.

Als er sich verabschiedete, bedankte er sich. Da ich darauf nichts sagen konnte, fragte er nochmals, ob es mir recht wäre, daß wir uns in den nächsten Tagen einmal treffen. Plötzlich kam er sich zudringlich vor. Seine sonderbare und fast zierliche Höflichkeit, die uns um so linkischer machte, war wie eine Schranke, die er vor seinem strömenden Herzen aufrichten mußte; eine andere Art seiner Verschüchterung. Allein in der Wirtsstube, die er verlassen hatte, fühlte ich mich glücklich wie ein Verlobter, der einem sicheren Glück entgegenlebt. Durch das Sprossenfenster sahen wir gerade noch, wie sie den kleinen Rebberg hinuntergingen. Es dämmerte bereits. Ich war froh, daß ich ihn angesprochen hatte; unser Heimweg war voll Übermut —

Das Nächste, was ich von ihm hörte, war die Nachricht seines Todes. Er starb an einem Herzschlag, im Alter von siebenundvierzig Jahren und mitten aus einem stürmischen Schaffen heraus, das jedesmal, wenn man seine Sprache wiederhört, jene Art von Begeisterung auslöst, die Mut gibt in die Verzweigungen unseres eigenen Lebens hinein, Zuversicht und Freude an allem, was dem menschlichen Herzen begegnen kann.   TaI, S. 175 f

Heimat

Mundart. Es war irgendwo am Mittelmeer. Er traf auf schweizerische Landsleute, und seit soundsovielen Monaten war es das erstemal, daß er wieder sein Schweizerdeutsch mundhabte. Seine deutschen Begleiter waren etwas verletzt, sobald er sich dieser Geheimsprache bediente, und wehrten sich einfach, indem sie feststellten, daß es eine häßliche Sprache wäre. Kurzum: man saß auf dem Damp-

fer, und als er seinen Landsleuten die Reize dieses Küsten-
landes entfalten wollte, schien ihm selber seine Mundart
plötzlich ungenügend, so daß er sich kurz faßte und diese
Südlandschaft, die er übrigens in einem kleinen Büchlein
umschrieben hatte, mit einem einzigen Fluchwort pries,
das er mit ergriffener Stimme seiner Schweigsamkeit ab-
rang, die sich immer mit dem Umschalten auf Mundart
einstellte, und im weiteren auf sein hochdeutsch geschrie-
benes Büchlein verwies.

Es dünkte ihn, als könnte man auf Schweizerdeutsch bloß
Alltagszeug sagen: Wein bestellen oder so. Wenn man
aber ans Unendliche streifte, wurde es gleich komisch, und
während man auf Hochdeutsch eher den Mund vollneh-
men konnte, so merkte man es in der Mundart sogleich,
ob etwas dahinter steckte. Da gab es nämlich keine übernehmbare Wendung des Tiefsinns, weil es weniger Dichter gegeben hatte, die so ungeschäftlich gewesen wären
und Mundartwerke geschaffen hätten; sondern die Groß-
zahl der Dichter, die uns bestimmen, redeten hochdeutsch
und schufen eine Sprache, die für uns dichtet und denkt,
so daß man sich in ihrer Benützung schon ein Dichter
dünkt, während man sein Unschöpferisches einsehen
müßte vor dem mundartlichen Rohstoff, wo wir nur
Dreckklumpen finden. Und noch keine fertigen Töpfe
aller Größen, so daß man bloß aussuchen kann und sein
Gefühl hineintröpfeln muß.   RA 1934

Bedürfnis nach Zugehörigkeit, ich bin hier und nicht
anderswo geboren, das naive Gefühl von Zugehörigkeit
und später das Bewußtsein von Zugehörigkeit, ein kri-
tisches Bewußtsein, das die Zugehörigkeit keineswegs aufhebt.   DB, S. 150

Am See

Oft am Morgen, wenn ich an die Arbeit fahre, steige ich
vom Rad, erlaube mir eine Zigarette; das Rad schließe ich
nicht ab, damit ich nicht zu lange verweile, hier wo das
Wasser um die Ufersteine spielt. Eigentlich ist es ein Lager-
platz, nicht eine Anlage; zuweilen stapeln sie Kuchen von
schwarzem Teer, Berge von Kies, den sie mit Lastwagen
bringen und holen, und dann wieder ist alles leer; nur die
hölzernen Schuppen bleiben, die großen Bruchsteine, die
Eidechsen, das verrostete Blech, natürlich auch die Gruppe
der Birken, das verwilderte Gras, der See und die Verbots-
tafel, die mich jahrelang abschreckte; die offene Weite
dahinter. Jetzt ist der Platz, wo man auch baden kann, zur
täglichen Zuflucht geworden, und ob ich auf dem Heimweg
bin, verbraucht von einem grämlichen Tag, oder ob es
wieder an die Arbeit geht, die ebenso grämlich sein wird
wie gestern und vorgestern, immer fühle ich mich voll
Zuversicht und Erwartung, solange ich gegen das Wasser
fahre. Einmal wird auch hier ein Gendarm kommen, der
nach einem Ausweis fragt; Ordnung muß sein! Es ist das
letzte natürliche Ufer in unsrer Gegend; manchmal stinkt
es. Ein paar verfaulte Schuhe liegen im Wasser, Scherben
von Tassen und Flaschen, anderswo schimmert die weiße
Rundung von einem zerbrochenen Klosett, und unter dem
Sandstein, den ich mir zurecht rücke, wimmelt es von
Asseln. Es ist noch Sommer, aber die Morgen sind
herbstlich. Mit versponnener Sonne, mit verblauenden
Ufern. Birken und Buchen hangen über den See; violett
und märchenhaft verzweigen sich ihre Schatten auf dem
lichten Kieselgrund, überschillert von grünlicher Kühle.
Man könnte stundenlang hinschauen. Das Wasser, ob es
eine Quelle ist, ein stürzender Bergbach oder ein Fluß, ein
zahmer und friedlicher See, immer hat es das Gefälle zum

Meer, zur Größe, und es ruht nicht, bevor es teilhat an der Größe, an der wässernen Wölbung unseres Gestirnes. Vielleicht ist es das, was zum Wasser lockt; unter anderem. Und dann das grüne Licht unter einer Barke, die an der Boje liegt; Schattenwasser, aber durchleuchtet von der Sonne, die jenseits der Barke in die Tiefe sinkt; hin und wieder sieht man ein Rudel von kleinen Fischen darin, schattengrau, plötzlich entblößt von der tarnenden Spiegelung. Wieder kommen die beiden Schwäne, lautlos, aufrecht, hastlos und herrlich, und über der wässernen Spiegelung zittert der Lärm der nahen Stadt; das Rollen einer Straßenbahn, das Dröhnen der Brücke, das Rasseln eines Krans, das unbestimmbar Geschäftige. Schon lange hat es acht Uhr geschlagen; man denkt an die Hunderttausend, die jetzt an ihren Pültchen sitzen, und das schlechte Gewissen, ich weiß, es wird mich erfassen, sobald ich das Rad wieder besteige. Am Wasser aber fühle ich mich frei, und alles, was auf dem Land sich tut, liegt hinter mir und nicht auf meinem Weg; ich weiß genau um meine Versäumnisse, die sich mehren mit jedem Glockenschlag; aber die Schwäne sind wirklicher, das plötzliche Gerausch der Wellen und das blinkende Gekringel auf dem Kieselgrund, das Kreischen der Möwen, die auf den Bojen sitzen. Oft, während ich hier sitze, immer öfter wundert es mich, warum wir nicht einfach aufbrechen —

Wohin?

Es genügte, wenn man den Mut hätte, jene Art von Hoffnung abzuwerfen, die nur Aufschub bedeutet, Ausrede gegenüber jeder Gegenwart, die verfängliche Hoffnung auf den Feierabend und das Wochenende, die lebenslängliche Hoffnung auf das nächste Mal, auf das Jenseits — es genügte, den Hunderttausend versklavter Seelen, die jetzt an ihren Pültchen hocken, diese Art von Hoffnung

auszublasen: groß wäre das Entsetzen, groß und wirklich
die Verwandlung. TaI, S. 70 f

Mit den Deutschen

München, April 1946
München muß herrlich gewesen sein. Man spürt es noch;
die grünen Inseln überall, Alleen und Parke, man denkt an
goldene Herbste darin, heiter und leicht, an Dämmerungen
nach einem sommerlichen Gewitter, wenn es nach Erde
riecht und nassen Blättern. Ein großer Zug ist überall in
dieser Stadt, eine Lebensfreude, die aus dem Süden herauf-
klingt; eine fast italienische Helle muß ihre Architektur
umspielt haben —
Sonderbar anzusehen:
Ein Eroberer zu Pferd, der immer noch in die Leere eines
vergangenen Raumes reitet, stolz und aufrecht auf einem
Sockel von Elend, umgeben von Stätten des Brandes,
Fassaden, deren Fenster leer sind und schwarz wie die
Augenlöcher eines Totenkopfes; auch er begreift noch nicht.
Aus einem Tor, das unter grünenden Bäumen steht, kommt
eine erstarrte Kaskade von Schutt; es ist ein Tor von
bezauberndem Barock, anzusehen wie ein offener Mund,
der erbricht, der mitten aus dem blauen Himmel heraus
erbricht, das Innere eines Palastes erbricht — und die
bröckelnden Schwingen eines Engels darüber, einsam wie
alles Schöne, fratzenhaft; das Schweigen ringsum, das
Erstorbene, wenn es von der hellichten Sonne beschienen
wird, das Endgültige. »Death is so permanent.«

TaI, S. 29 f

Frankfurt, Mai 1946

Wenn man in Frankfurt steht, zumal in der alten Innenstadt, und wenn man an München zurückdenkt: München kann man sich vorstellen, Frankfurt nicht mehr. Eine Tafel zeigt, wo das Goethehaus stand. Daß man nicht mehr auf dem alten Straßenboden geht, entscheidet den Eindruck: die Ruinen stehen nicht, sondern versinken in ihrem eigenen Schutt, und oft erinnert es mich an die heimatlichen Berge, schmale Ziegenwege führen über die Hügel von Geröll, und was noch steht, sind die bizarren Türme eines verwitterten Grates; einmal eine Abortröhre, die in den blauen Himmel ragt, drei Anschlüsse zeigen, wo die Stockwerke waren. So stapft man umher, die Hände in den Hosentaschen, weiß eigentlich nicht, wohin man schauen soll. Es ist alles, wie man es von Bildern kennt; aber es ist, und manchmal ist man erstaunt, daß es ein weiteres Erwachen nicht gibt; es bleibt dabei: das Gras, das in den Häusern wächst, der Löwenzahn in den Kirchen, und plötzlich kann man sich vorstellen, wie es weiterwächst, wie sich ein Urwald über unsere Städte zieht, langsam, unaufhaltsam, ein menschenloses Gedeihen, ein Schweigen aus Disteln und Moos, eine geschichtslose Erde, dazu das Zwitschern der Vögel, Frühling, Sommer und Herbst, Atem der Jahre, die niemand mehr zählt —   TaI, S. 37 f

Unterwegs, Mai 1946

Schönes deutsches Land! Nichts als ein Wogen von fruchtbarer Weite, Hügel und weiße Wolken darüber, Kirchen, Bäume, Dörfer, die Umrisse nahender Gebirge; dann und wann ein Flugplatz, ein Glitzern von silbernen Bombern, die in langen Reihen stehen, einmal ein zerschossener Tank, der schräg im Graben liegt und mit seiner Kanone in den

Himmel zeigt, einmal ein verbogener Propeller in der Wiese —

In Landsberg ist Alarm:

Unser Jeep muß stoppen, wir werden geprüft, Wachen mit Helm und Pistole, Gurten mit glänzenden Patronen, es wimmelt von verwahrlosten Menschen, die mit den Händen fuchteln; ihre Sprache verstehe ich nicht, und auch am Ausgang des lieblichen Städtleins steht ein Panzerwagen, Kanone ohne Mündungskappe.

Dann wieder die offenen Felder, die Allee, die uns seit Stunden begleitet, wieder das Wogen von gelassenen Hügeln, Wolken und Wäldern und wieder Baracken; ein Lager im gerodeten Wald, der Boden ist grau und kahl, pflanzenlos, es erinnert mich an eine Farm mit Silberfüchsen oder so, alles umzäunt und ordentlich und schnurgerade, ein Schachbrett hellichter Verzweiflung, Menschen, Wäsche, Kinder, Stacheldraht.   TaI, S. 43

Nürnberg, März 1947

Kinder an den Bahndämmen, besonders wo die Züge wegen Zerstörungen etwas langsamer fahren; sie warten, daß wir etwas Eßbares hinauswerfen. Das Peinliche, es zu tun, wenn andere es sehen. Warum eigentlich? Auch Frauen, die an einer Barriere stehen oder auf freiem Feld; ohne Gebärde, stumm, graublaß und hager. Die Verlumpung erreicht einen Grad, den ich bisher nur in Serbien gesehen habe. Sechs Schienenarbeiter teilen sich in die Brote, die unsere tschechischen Freunde gestrichen haben. Wir sind froh, nichts mehr zu haben, nicht mehr unterscheiden zu müssen. Krach auf dem Bahnsteig; jemand hat Zigaretten geworfen. Der Jüngling, der sie gewinnt: Schwindsucht, Wehrmachtsmütze, Schwarzhandel, Faustrecht, Syphilis.

                                                    TaI, S. 167 f

Nachtrag zur Reise

Im großen ganzen, wenn man an die einzelnen Begeg-
nungen zurückdenkt, ist die Kluft doch größer, als man
erwartet und erhofft hat, und zugleich überbrückbarer,
sobald man auf der anderen Seite ein menschliches Gesicht
sieht. Es gibt einzelne, die uns jede Grenze vergessen
lassen; man sitzt sich nicht als Deutscher und als Schweizer
gegenüber; man ist dankbar, daß man die gleiche Sprache
hat, und schämt sich jeder Stunde, da man diese einzelnen
vergessen hat. Die Mehrzahl freilich sind solche, die diese
Versuchung wieder beschwören, die sich rechtfertigen und
uns, ob wir wollen oder nicht, zum Richter setzen, der
freisprechen soll, und wenn wir uns dazu nicht entschließen
können, sondern schweigen oder an gewisse Dinge erinnern, die man nicht vergessen darf, trifft uns der stumme
oder offene Vorwurf, daß wir richterlich sind —

TaI, S. 45 f

Vor allem ist es natürlich das Elend, das jede Veränderung,
noch wo sie möglich wäre, mehr und mehr verhindert.
Wenn ich in tödlicher Lungenentzündung liege und man
meldet mir, daß mein Nachbar gestorben sei, und zwar
durch mein Verschulden, mag sein, ich werde es hören, ich
werde die Bilder sehen, die man mir vor die Augen hält;
aber es erreicht mich nicht. Die tödliche Not, die eigene,
verengt mein Bewußtsein auf einen Punkt. Vielleicht sind
manche Gespräche darum so schwierig; es erweist sich als
unmenschlich, wenn man von einem Menschen erwartet,
daß er über seine eigenen Ruinen hinaussehe. Solange das
Elend sie beherrscht, wie sollen sie zur Erkenntnis jenes
anderen Elendes kommen, das ihr Volk über die halbe Welt
gebracht hat? Ohne diese Erkenntnis jedoch, die weit über

die bloße Kenntnis hinausgeht, wird sich ihre Denkart nie verwandeln; sie werden nie ein Volk unter Völkern, was unsrer Meinung nach das eigentliche Ziel ist. Für ein Volk, das nur sich selber sieht, gibt es bloß zweierlei: Weltherrschaft oder Elend. Die Weltherrschaft wurde versucht, das Elend ist da. Und daß es gerade dieses Elend ist, was eine Erlösung aus jener Denkart abermals verhindert, das als das Trostlose —. TaI, S. 46 f

Sie schreiben mir als Obergefreiter, der vor Stalingrad war, und da ich Sie, je öfter ich den Brief lese, immer weniger begreifen kann, bleibt vielleicht nichts anderes übrig, als daß ich von unserem Standort berichte, wenn Sie dafür Interesse haben. Die Frage nach unsrer Zuständigkeit, die Sie aufwerfen, gehört tatsächlich zu den Fragen, die uns schon während des Krieges, als unsere Verschonung durchaus nicht sicher war, bis zur Verwirrung beschäftigt haben. Wer in jenen Jahren schrieb und zu den Ereignissen schwieg, die uns zur Kenntnis kamen und manches teure Vertrauen erschütterten, am Ende gab natürlich auch er eine deutliche und durchaus entschiedene Antwort dazu; er begegnete der Zeit nicht mit Verwünschungen, nicht mit Sprüchen eines Richters, sondern mit friedlicher Arbeit, die versucht, das Vorhandensein einer andern Welt darzustellen, ihre Dauer aufzuzeigen. Er äußerte sich zum Zeitereignis, indem er es nicht, wie andere fordern, als das einzig Wirkliche hinnahm, sondern im Gegenteil, indem er ihm alles entgegenstellte, was auch noch Leben heißt. Vielleicht wäre das, sofern es nicht zur bloßen Ausflucht wird, sogar die dringendere Tat, die eigentlich notwendende. Die Gefahr allerdings, daß sie zur bloßen Ausflucht wird, liegt bei den Verschonten aller Art immer

in nächster Nähe. Die Dichter eines Kriegslandes sind durch
ein Feuer gegangen, ein öffentliches, ein allgemein sichtbares, und was zu sagen ihnen noch bleibt, hat jedenfalls
eine Probe bestanden. Auch in unseren Augen, vor allem
in unseren Augen erscheinen sie mit der Gloriole eines
Geläuterten. Natürlich kamen auch falsche Gloriolen, und
sie haben, wie erwartet, Helvetier auf Knien gefunden.
Halten wir uns aber an die wirklichen. Was haben,
verglichen mit ihnen, die Schaffenden unseres Landes
auszusagen?
Die Frage scheint bedrängend.
Wir haben den Krieg nicht am eignen Leib erlitten, das ist
das eine, und anderseits haben natürlich auch wir ein
gewisses Erleben von Dingen, die unser Schicksal bestimmen. Daß der Krieg uns anging, auch wenn er uns
nochmals verschonen sollte, wußte jedermann. Unser Glück
blieb ein scheinbares. Wir wohnten am Rande einer
Folterkammer, wir hörten die Schreie, aber wir waren es
nicht selber, die schrien; wir selber blieben ohne die Tiefe
erlittenen Leidens, aber dem Leiden zu nahe, als daß wir
hätten lachen können. Unser Schicksal schien die Leere
zwischen Krieg und Frieden. Unser Ausweg blieb das
Helfen. Unser Alltag, den wir auf dieser Insel verbrachten,
war voll fremder Gesichter: Flüchtlinge aller Art,
Gefangene und Verwundete. Wir hatten, ob wir mochten
oder nicht, einen Anblick dieser Zeit, wie er für ein Volk,
das außerhalb des Krieges steht, nicht aufdringlicher hätte
sein können. Wir hatten sogar, was die Kriegsländer nicht
haben: nämlich den zwiefachen Anblick. Der Kämpfende
kann die Szene nur sehen, solange er selber dabei ist; der
Zuschauer sieht sie immerfort. Zwar hatten wir durchaus
unsere leidenschaftlichen Wünsche, aber nicht die Not des
Kämpfers: nicht die Versuchung zur Rache. Vielleicht liegt

darin das eigentliche Geschenk, das den Verschonten
zugefallen ist, und ihre eigentliche Aufgabe. Sie hätten die
selten gewordene Freiheit, gerecht zu bleiben. Mehr noch!
Sie müßten sie haben. Es ist die einzig mögliche Würde,
womit wir im Kreise leidender Völker bestehen können —
(Nicht abgeschickt.)   TaI, S. 148 f

Abends in Gesellschaft.
Das Berlinische, das man bei uns so gerne verpönt, ich mag
es sehr — vor allem das Unsentimentale, den Witz, der
meistens darin besteht, daß man die Dinge wieder einmal
beim Namen nennt, das Antipathos, besonders willkommen
innerhalb des Deutschen, hier wird das Gemüt nicht aufs
Brot gestrichen, Witz als der keuschere Ausdruck der
Gefühle, das Freche ohne Ranküne, das Nüchterne — in
Zeiten wie jetzt, wo jede Pose auf die Probe gestellt wird,
sind sie bewundernswert, nämlich unverändert: unsenti-
mental, konkret, aktiv . . .   TaI, S. 266

Ganz abgesehen davon, daß unsere deutschen Freunde auch
dort, wo es ihnen am schlimmsten geht, nicht dörferweise
vor das Massengrab knien müssen, die Kinder im Arm, wie
es in Polen, in der Ukraine, in Rußland mehr als einmal
geschehen ist.
Ich möchte hier nicht mißverstanden werden. Es handelt
sich nicht um die Bejahung irgendeiner Rache, auch nicht
um irgendeine Rechtfertigung neuer Frevel. Es handelt sich,
ganz vereinfacht gesprochen, um die noch unverarbeitete
Tatsache, daß in den Jahrzehnten unseres Daseins, in
unserer Zeitgenossenschaft, Dinge geschehen sind, die wir
dem Menschen vorher nicht hätten zutrauen können. Wenn

ich die dokumentarischen Bilder sehe, wie Jüdinnen aus dem vierten Stock springen und dann mit gebrochenen Knochen, damit die Deutschen sie nicht erwischen, zurückkriechen in ihre brennenden Häuser, und wenn ich auf dem selben Bild die deutschen Gesichter sehe, Gesichter, denen wir in der überfüllten Straßenbahn oder in einer Gesellschaft gegenübersitzen könnten; vor allem aber wenn wir an Ort und Stelle stehen — sei es vor einem Galgen, in einer Folterkammer, einem Keller voll menschlicher Asche — ist das Erlebnis im Grunde immer das gleiche; es beschränkt sich auf ein nacktes Staunen, ein wehrloses Betroffensein, was dem Menschen möglich ist. Und zwar nicht nur einem einzelnen, einem Landru oder Haarmann, sondern unter Umständen einer großen Zahl. Und nicht nur bei einem Volk, dem wir alles zutrauen, weil es keine Wasserspülung hat und nicht lesen kann; sondern bei einem Volk, das alles besitzt und in hohem Grade leistet, was wir bisher unter Kultur verstanden haben.

Ich möchte es so sagen: Wenn Menschen, die gleiche Worte sprechen wie ich und eine gleiche Musik lieben wie ich, nicht davor sicher sind, Unmenschen zu werden, woher beziehe ich fortan meine Zuversicht, daß ich davor sicher sei?

Vielleicht liegt hier der wesentlichere Grund, warum wir uns soviel mit dem deutschen Menschen befassen, und zugleich der Grund, warum das allermeiste, was wir heute in Deutschland finden können, wenig Zuversicht gibt; es wird wieder, als hätte es daran gefehlt, allenthalben nichts als Kultur gemacht, Theater und Musik, Dichterlesungen, Geistesleben mit hohem und höchstem Anspruch; aber meistens ohne Versuch, den deutschen und vielleicht abendländischen Begriff von Kultur, der so offenkundig versagt hat, einer Prüfung zu unterwerfen.   RA 1949

Kurfürstendamm.

Kurt kauft eine kleine Skizze von Liebermann. Ferner gäbe es: drei Täßlein aus Meißner Porzellan, ein alter Stich, darstellend die Garnisonskirche zu Potsdam, ein Aschenbecher aus Messing, Brieföffner, Ohrringe und was man sonst nicht braucht. Alles unerschwinglich, wenn man mit Löhnen rechnet, aber billig, wenn man mit Zigaretten rechnet. Ein kleiner Buddha, ein schöner, für fünfhundert Zigaretten. Hundert Schritte weiter stehen die sogenannten Trümmerweiber, die sich mit Schaufel und Eimer gegen das Unabsehbare verbrauchen. Es wirkt nicht wie Arbeit, sondern wie Strafkolonie. Vierzig Mark in der Woche, das sind vier Zigaretten. Natürlich sind es nicht die Leute, die diese Ruinen verschuldet haben. Die sitzen in geheizten Gefängnissen, genährt, gesunder als alle andern, oder in ihrem Landhaus . . .   Tal, S. 216 f

Ich sage nicht, daß die Gespräche mit deutschen Zeitgenossen ohne jeden Gewinn wären; mindestens nicht für uns. Die tausend Geschichten, die man uns erzählt, haben mich mehr und mehr unsicher gemacht, wie ich mich in einer ähnlichen Lage selber verhalten hätte. Sie haben uns erschüttert. Ich meine damit nicht eine Rührung, eine vorübergehende Stimmung, sondern eine durchaus bleibende Veränderung. Sie haben unser Vertrauen in die eigene Menschlichkeit erschüttert. Menschen, die ich als verwandt empfinde, sind Unmenschen geworden. Diese Erschütterung unserer Zuversicht, die wir aus unserer abendländischen Zivilisation glaubten ableiten zu dürfen, ist wohl der erste, bisher vielleicht der einzige Gewinn, den uns das schweizerisch-deutsche Gespräch gebracht hat; ein

Gewinn freilich, der uns den deutschen Nachbar nicht behaglicher macht.

Es gibt zur Zeit, wie mir scheint, zwei Formen, die unser Unbehagen angenommen hat: die einen, vor allem die Gebildeten, ziehen sich auf die Klassik zurück, wo sie die Verwandtschaft mit dem Deutschtum nicht stört, oder sie lesen andere Sprachen; die anderen, denen es dazu an Sprachkenntnissen fehlt oder die aus anderen Gründen trotz allem der deutschen Gegenwart ins Gesicht sehen müssen, helfen sich, indem sie dieses Gesicht einfach mit einem blinden Erbarmen verdecken, das insofern eine nicht minder verfängliche Ausflucht ist, als es die Opfer von gestern, Millionen von Verstummten, ohne Zögern vergißt und verrät. Auch die Caritas, wie wir wissen, kann ja eine Form der Lüge sein, ganz zu schweigen vom Geschäft, das für einzelne dahinter steht.   RA 1949

Teegespräch in einem gar tadellosen Landhaus, Stil der guten dreißiger Jahre, Klinker, Truhen aus alten Bauerngeschlechtern, Stiche, Geländer aus Schmiedeeisen, Berliner Porzellan, Kamelhaardecken, Rassehunde.

»Die Schweiz hat doch nichts gelitten!«

»Nein«, sage ich.

»Hätte Ihrer Schweiz aber ganz gut getan«, sagt die Dame: »gerade der Schweiz! Leiden ist gesund, wissen Sie —.«

Wir sitzen in einem gar tadellosen Garten, der in den guten dreißiger Jahren, wie ich später höre, manche Uniformen empfangen hat, hohe und höchste, braune und schwarze; die Aussicht ist herrlich; nur ganz am Horizont sieht man die Baracken der schlesischen Flüchtlinge, dieser Opfer eines verbrecherischen Auslandes.   TaI, S. 410

Beruf: Schriftsteller

Zur Schriftstellerei

Was wichtig ist: das Unsagbare, das Weiße zwischen den Worten, und immer reden diese Worte von den Nebensachen, die wir eigentlich nicht meinen. Unser Anliegen, das eigentliche, läßt sich bestenfalls umschreiben, und das heißt ganz wörtlich: man schreibt darum herum. Man umstellt es. Man gibt Aussagen, die nie unser eigentliches Erlebnis enthalten, das unsagbar bleibt; sie können es nur umgrenzen, möglichst nahe und genau, und das Eigentliche, das Unsagbare, erscheint bestenfalls als Spannung zwischen diesen Aussagen.

Unser Streben geht vermutlich dahin, alles auszusprechen, was sagbar ist; die Sprache ist wie ein Meißel, der alles weghaut, was nicht Geheimnis ist, und alles Sagen bedeutet ein Entfernen. Es dürfte uns insofern nicht erschrecken, daß alles, was einmal zum Wort wird, einer gewissen Leere anheimfällt. Man sagt, was nicht das Leben ist. Man sagt es um des Lebens willen. Wie der Bildhauer, wenn er den Meißel führt, arbeitet die Sprache, indem sie die Leere, das Sagbare, vortreibt gegen das Geheimnis, gegen das Lebendige. Immer besteht die Gefahr, daß man das Geheimnis zerschlägt, und ebenso die andere Gefahr, daß man vorzeitig aufhört, daß man es einen Klumpen sein läßt, daß man das Geheimnis nicht stellt, nicht faßt, nicht befreit von allem, was immer noch sagbar wäre, kurzum, daß man nicht vordringt zu seiner letzten Oberfläche.

Diese Oberfläche alles letztlich Sagbaren, die eins sein müßte mit der Oberfläche des Geheimnisses, diese

stofflose Oberfläche, die es nur für den Geist gibt und
nicht in der Natur, wo es auch keine Linie gibt zwischen Berg und Himmel, vielleicht ist es das, was man
die Form nennt?
Eine Art von tönender Grenze —.   _{TaI, S. 42 f}

Im Grunde ist alles, was wir in diesen Tagen auf-
schreiben, nichts als eine verzweifelte Notwehr, die
immerfort auf Kosten der Wahrhaftigkeit geht, unweigerlich; denn wer im letzten Grunde wahrhaftig
bliebe, käme nicht mehr zurück, wenn er das Chaos
betritt — oder er müßte es verwandelt haben.
Dazwischen gibt es nur das Unwahrhaftige.   _{TaI, S. 39}

Fabeln, scheint es, gibt es zu Tausenden, jeder Bekannte wüßte eine, Unbekannte verschenken sie in
einem Brief, jede ist ein Stück, ein Roman, ein Film,
eine Kurzgeschichte, je nach der Hand, die sie zu greifen vermöchte — es fragt sich bloß, wie und an wel-
chen Zipfeln sie ergriffen wird; welche ihrer zahlrei-
chen Situationen sich kristallisiert . . . Hamlet! wenn es
möglich wäre, seine Fabel ohne jede Gestaltung vor-
zulegen, kein noch so hellhöriger Kritiker könnte finden, daß sie nach dem Theater schreie. So vieles daran
läßt sich nur erzählen; das Spielbare zu finden braucht
es die Wünschelrute eines theatralischen Tempera-
mentes, hier eines theatralischen Genies. Etwas ver-
dreht gesprochen! denn der Vorgang ist ja wohl nicht
so, daß ein schöpferisches Temperament, ein theatrali-
sches, oder ein anderes, an eine sogenannte Fabel her-
antritt, erwägend, ob sie sich für Theater oder Roman

eigne, sondern das Temperament ist bereits die Entscheidung, der Maler sieht malerisch, der Plastiker
sieht plastisch ... Der meistens verfehlte Versuch, ein
Schauspiel umzusetzen in eine Erzählung oder umgekehrt, lehrt wohl am krassesten, was man im Grunde
zwar weiß: daß eine Fabel an sich gar nicht existiert!
Existenz hat sie allein in ihren Niederschlägen, man
kann sie nicht destillieren, es gibt sie nur in Kristalli-
sationen, die, einmal vorhanden, nicht mehr auszu-
wechseln sind, gelungen oder mißlungen — ein für
allemal.   TaI, S. 267 f

Wieso haben die Intellektuellen, wenn sie scharen-
weise vorkommen, unweigerlich etwas Komisches?
       TaI, S. 302

Es ist schwierig, ein Rezensent zu sein; über die fach-
lichen Schwierigkeiten hinaus, die zu jeder Arbeit gehören und nicht besonders anzuführen sind, meine ich
vor allem die menschlichen. Rezensionen, die ich als
Student geschrieben habe, kann ich heute nicht an-
sehen, ohne zu erröten, wobei es weniger Unkenntnis
ist, was beschämt, sondern der Ton ganz allgemein,
der sich für witzig hält, eine Mischung von Dreistheit
und Herablassung, und dabei, weiß ich, war ich voll
Minderwertigkeitsangst. Das Rezensieren war für
mich eine Notwendigkeit, eine Labsal, aber nur für
mich. Sicher gibt es Seelen, die am Unvollendeten leiden, ehrlich leiden, rasend werden und nicht umhin
können, auf den Tisch zu hauen und grob zu werden,
daß die Wände wackeln. Dagegen ist nichts zu sagen.

Die meisten aber, die allermeisten werden nicht rasend, sondern hämisch, witzig, dreist, herablassend.
Hämisch im Falle des Tadels; brüderlich im Falle des
Lobes, und das ist das andere, was mich an jenen stu-
dentischen Rezensionen verstimmt: die Anbiederung.
Nichts ist schwieriger als Loben. Schon die Wörter
werden bald allgemein, so, daß sich ganz Verschie-
denes, sogar Gegensätzliches damit beloben ließe. Es
muß keine Mißgunst sein, keine Miesmacherei, wenn
der Kritiker sich scheut, Lobesworte zu schreiben; das
Lob, das ernsthafte, kann in der Tat fast nur mittelbar
gesagt werden, beispielsweise durch die Namen, die
zum Vergleich herangezogen werden, insbesondere
durch die Höhenlage der kritischen Auseinandersetzung. Das unmittelbare Lob hat wenig Überzeu-
gungskraft, und wenn jemand noch so inbrünstig
sagt: Das ist das beste Gedicht! sagt er nichts über das
Gedicht, und man fragt sich dann: Woher hat der
wohl das Schwert, womit man jemand zum Ritter
schlägt? und man wird den Eindruck einer fuchtelnden
Selbstüberschätzung nicht ganz los, gerade wenn einer
lobt. Vor allem aber, wenn ich nach Jahren auf eigene
Rezensionen stoße, merke ich fast ohne Ausnahme,
daß ich stets mich selber gelobt hate, gelobt, was eigenen Bestrebungen entgegenkommt und sie durch Gelingen heiligt, das ist es, was ich (und nicht selten auf
Grund eines flinken Mißverständnisses) durch Lobesworte unterstrichen habe . . .
Es ist schwierig, ein Rezensent zu sein.   TaI, S. 340 f

Was hat, so sagt man, Kunst mit Politik zu tun? Und
unter Politik versteht man nicht, was die Polis angeht,

das Problem, wie die Menschen, da keiner doch allein bestehen kann, zusammen leben, das Problem der gesellschaftlichen Ordnungen, dessen Lösung immer den Anfang der Kultur darstellte, die Kultur gewährleistete, wenn nicht in wesentlichen Graden sogar ausmachte, oder den Untergang einer Kultur verursachte — unter Politik versteht man schlechterdings das Niedrige, das Ordinäre, das Alltägliche, womit sich der geistige Mensch, der glorreiche Kulturträger, nicht beschmutzen soll. Der Kulturträger, der Kulturschaffende. Es ist immer wieder auffällig, wieviel deutsche Menschen (besonders deutsche) unablässig besorgt sind, geistige Menschen zu sein; vor allem, *wie* sie besorgt sind: indem sie von Literatur, von Musik, von Philosophie sprechen. Und Schluß. Auffällig ist die Angst, ein Spießer zu sein; man wird kaum einem Deutschen begegnen, der dieses Wort nicht schon im ersten Gespräch braucht. Spießer, gemeint als Gegenstück zum geistigen Menschen. Wenn sie Gottfried Keller auf der Straße oder in seiner Staatskanzlei oder gar an einem Schützenfest gesehen hätten, ich bin überzeugt, daß die allermeisten, die dieses ominöse Wort in den Mund nehmen, ihn als Spießer klassifiziert hätten, als das Gegenteil eines geistigen Menschen, eines Kulturträgers, eines Kulturschaffenden, weitab von der Elite. In der Tat empfinden wir, was den Begriff der Kultur angeht, einen nicht unbedeutenden Unterschied zwischen dem deutschen und dem schweizerischen Denken, das hier vielleicht am selbständigsten ist gegenüber dem deutschen. Das jedem Volk unerläßliche Gefühl, Kultur zu haben, beziehen wir kaum aus der Tatsache, daß wir Künstler haben; zumindest empfinden wir die Begabung eines Gotthelf

(um es bei einem bewenden zu lassen) nicht als Entschuldigung dafür, daß es in seinem Lande auch Ver-
dingbuben gibt, eine hanebüchene Einrichtung in bezug auf das Soziale. Unter Kultur verstehen wir wohl
in erster Linie die staatsbürgerlichen Leistungen, die
gemeinschaftliche Haltung mehr als das künstlerische
oder wissenschaftliche Meisterwerk eines einzelnen
Staatsbürgers. Auch wenn es für den schweizerischen
Künstler oft eine trockene Luft ist, was ihn in seiner
Heimat umgibt, so ist dieses Übel, wie sehr es uns
persönlich trifft, doch nur die leidige Kehrseite einer
Haltung, die, von den meisten Deutschen als spießig
verachtet, als Ganzes unsere volle Bejahung hat —
eben weil die gegenteilige Haltung, die ästhetische Kultur, zu einer tödlichen Katastrophe geführt hat, führen muß.   TaI, S. 327 f

Die Alternative U. S. A.

Ich wollte nicht über Amerika reden, sondern über unser
Verhältnis zu Amerika. Mit viel Recht hat man es als ein
Vater-Sohn-Verhältnis dargestellt — wobei der Sohn
schon ziemlich stämmig ist und dennoch einiger Erziehung
bedarf, der Vater anderseits sich hüten muß, senil zu
werden, borniert und unausstehlich. Die Zahl der amerikanischen Söhne, die es einfach satt haben, von dem alten
Europa-Papa, den sie füttern müssen, im Geistigen begön-
nert zu werden, ist gewaltig, ihr Unwille für niemanden
von Vorteil. (Wie sehr es insbesondere die deutsche Emigration ist, die jüdische wie die nichtjüdische, die, indem sich
ihr berechtigtes Heimweh in eine unberechtigte Arroganz
verwandelt, das Verhältnis zwischen Europa und Ameri-

ka belastet, wäre eine Geschichte für sich; zuweilen versteht man die Amerikaner, die von Europa nichts mehr wissen wollen.) Andere wiederum, und auch das gehört zum Vater-Sohn-Verhältnis, erwarten von Europa das Unmögliche, kopieren Europa, ohne die Voraussetzungen zu besitzen, die Europa gemacht haben, und leben in Angst vor dem Vater, in einem Minderwertigkeitsgefühl, oder, besser gesagt: in einem Parvenügefühl. Wie manchen Amerikaner bedrückt es, daß sein Land keine echten Schlösser hat, keine echte Gotik, keine echte Antike — denn die Maya, die Chimu, die Inka sind ja die Antike der Indianer, die man ausgerottet hat, nicht eine eigene Antike! — und wie amerikanisch (im bedenklichen Sinn) ist das Heimweh nach Historie, dem wir verdanken, daß amerikanische Bankiers heute noch klassizistische Säulen bauen, daß amerikanische Universitäten (nach dem Zweiten Weltkrieg erbaut) sich in Gotik oder italienische Romantik kostümieren; es ist schauerlich. Und sobald sie vor der Technik stehen, wo das alte Europa keine Muster liefert, finden sie ihre eigene Haltung, amerikanisch im überzeugenden Sinn; man denke an die Straßen, die Brücken, die Architektur der Industrie. Nennen wir es kurz das Zivilisatorische, worin Amerika sich manifestiert, und bei aller geziemenden Vorsicht mit historischen Vergleichen ist man doch zu sagen versucht, was wohl schon öfters gesagt worden ist: Die Amerikaner sind für das alte Europa, was die Römer gewesen sind für das alte Athen, die Kolonie, die zur Weltmacht wird. Auch Rom war ja groß im Zivilisatorischen, im Bau von Straßen und Aquädukten, Griechenland aber noch immer wichtig, als es lange schon machtlos war, wichtig in seinen geistigen Beständen, auch wenn sie sich verwandelten. Sicher war es für die Griechen fast unmöglich, so etwas wie eine

römische Kultur zu sehen und anzuerkennen. Dennoch
gab es sie.   RA 1952/3

Im Sommer ist Neuyork ja unerträglich, keine Frage, und
wer es irgendwie kann, fährt hinaus, sobald er frei ist.
Hunderttausende von Wagen rollen am Sonntag beispielsweise über die Washington Bridge hinaus, drei nebenein-
ander, eine Armee von Städtern, die dringend die Natur
suchen. Dabei ist die Natur zu beiden Seiten schon lange
da; Seen ziehen vorbei, Wälder mit grünem Unterholz,
Wälder, die nicht gekämmt sind, sondern wuchern, und
dann wieder offene Felder ohne ein einziges Haus, eine
Augenweide, ja, es ist genau das Paradies; nur eben: man
fährt vorbei. In diesem fließenden Band von glitzernden
Wagen, die alle das verordnete Tempo von vierzig oder
sechzig Meilen halten, kann man ja nicht einfach stoppen,
um an einem Fichtenzapfen zu riechen. Nur wer eine
Panne hat, darf in den seitlichen Rasen ausrollen, muß,
um das fließende Band nicht heillos zu stören, und wer
etwa ausrollt, ohne daß er eine Panne hat, der hat eine
Buße. Also weiterfahren, nichts als weiterfahren! Die
Straßen sind vollendet, versteht sich, in gelassenen Schleifen ziehen sie durch das weite und sanfte Hügelland voll
grüner Einsamkeit, ach, man müßte bloß aus dem Wagen
steigen können, und es wäre so, wie es Jean Jacques
Rousseau sich nicht natürlicher erträumen könnte. Gewiß
gibt es Ausfahrten, mit Scharfsinn ersonnen, damit man
ohne Todesgefahr, ohne Kreuzung, ohne Huperei ab-
zweigen und über eine Arabeske großzügiger Schleifen
ausmünden kann in eine Nebenstraße; die führt zu einer
Siedelung, zu einer Industrie, zu einem Flughafen. Wir
wollen aber in die schlichte Natur. Also zurück in das

fließende Band! Nach zwei oder drei Stunden werde ich nervös. Da alle fahren, Wagen neben Wagen, ist jedoch anzunehmen, daß es Ziele gibt, die diese Fahrerei irgendwann einmal belohnen. Wie gesagt: immerfort ist die Natur zum Greifen nahe, aber nicht zu greifen, nicht zu betreten; sie gleitet vorüber wie ein Farbfilm mit Wald und See und Schilf. Neben uns rollt ein Nash mit quakendem Lautsprecher: Reportage über Baseball. Wir versuchen vorzufahren, um den Nachbar zu wechseln, und endlich gelingt es auch; jetzt haben wir einen Ford an der Seite und hören die Siebente von Beethoven, was wir im Augenblick auch nicht suchen, sondern ich möchte jetzt einfach wissen, wohin diese ganze Rollerei eigentlich führt. Ist es denkbar, daß sie den ganzen Sonntag so rollen? Es ist denkbar. Nach etwa drei Stunden, bloß um einmal aussteigen zu können, fahren wir in ein sogenanntes Picnic-Camp. Man zahlt einen bescheidenen Eintritt in die Natur, die aus einem idyllischen See besteht, aus einer großen Wiese, wo sie Baseball spielen, aus einem Wald voll herrlicher Bäume, im übrigen ist es ein glitzernder Wagenpark mit Hängematten dazwischen, mit Eßtischlein, Lautsprecher und Feuerstellen, die fix und fertig und im Eintritt inbegriffen sind. In einem Wagen sehe ich eine junge Dame, die ein Magazin liest: How to enjoy life; übrigens nicht die einzige, die lieber im bequemen Wagen bleibt. Das Camp ist sehr groß; mit der Zeit finden wir einen etwas steileren Hang, wo es keine Wagen gibt, aber auch keine Leute; denn wo sein Wagen nicht hinkommt, hat der Mensch nichts verloren. Allenthalben erweist sich der kleine Eintritt als gerechtfertigt: Papierkörbe stehen im Wald, Brunnen mit Trinkwasser, Schaukeln für Kinder; die Nurse ist inbegriffen. Ein Haus mit Coca-Cola und mit Aborten, als romantisches Blockhaus erstellt, entspricht einem allgemeinen Bedürfnis. Eine Station für erste ärztliche Hilfe, falls jemand sich in den Finger schneidet, und Telefon, um jederzeit mit der Stadt verbunden zu bleiben, und eine vorbildliche Tankstelle, alles ist da, alles in einer echten und sonst unberührten Natur, in einer Weite unbetretenen Landes. Wir haben versucht, dieses Land zu betreten; es ist möglich, aber nicht leicht, da es einfach keine Pfade für Fußgänger gibt, und es braucht schon einiges Glück, einmal eine schmale Nebenstraße zu finden, wo man den Wagen schlechterdings an den Rand stellen kann. Ein Liebespaar, umschlungen im Anblick eines Wassers mit wilden Seerosen, sitzt nicht am Ufer, sondern im Wagen, wie es üblich ist; ihr Lautsprecher spielt so leise, daß wir ihn bald nicht mehr hören. Kaum stapft man einige Schritte, steht man in Urwaldstille, von Schmetterlingen umflattert, und es ist durchaus möglich, daß man der erste Mensch auf dieser Stelle ist; das Ufer rings um den See hat keinen einzigen Steg, keine Hütte, keine Spur von Menschenwerk, über Kilometer hin einen einzigen Fischer. Kaum hat er uns erblickt, kommt er, plaudert und setzt sich sofort neben uns, um weiterzufischen, um ja nicht allein zu sein. Gegen vier Uhr nachmittags fängt es wieder an, das gleiche Rollen wie am Morgen, nur in der anderen Richtung und sehr viel langsamer; Neuyork sammelt seine Millionen, Stockungen sind nicht zu vermeiden. Es ist heiß, man wartet und schwitzt, wartet und versucht, sich um eine Wagenlänge vorzuzwängeln; dann geht es wieder, Schrittfahren, dann wieder offene Fahrt, dann wieder Stockung. Man sieht eine Schlange von vierhundert und fünfhundert Wagen, die in der Hitze glitzern, und Helikopter kreisen über der Gegend, lassen sich über den stockenden Kolonnen herunter, um durch Lautsprecher zu melden, welche Straßen weniger verstopft sind. So geht es drei oder vier oder fünf Stunden, bis wir wieder in Neuyork sind, versteht sich, einigermaßen erledigt, froh um die Dusche, auch wenn sie nicht viel nützt, und froh um ein frisches Hemd, froh um ein kühles Kino; noch um Mitternacht ist es, als ginge man in einer Backstube, und der Ozean hängt seine Feuchte über die flirrende Stadt. An Schlaf bei offenem Fenster ist nicht zu denken. Das Rollen der Wagen mit ihren leise winselnden Reifen hört überhaupt nicht auf, bis man ein Schlafpulver nimmt. Es rollt Tag und Nacht . . .   S, S. 235 f

»Babylon!« meinte Rolf, der immer wieder hinunterschauen mußte in dieses Netz von flimmernden Perlenschnüren, in diesen Knäuel von Licht, in dieses unabsehbare Beet von elektrischen Blumen. Man wundert sich, daß in dieser Tiefe da unten, deren Geräusch nicht mehr zu hören ist, in diesem Labyrinth aus quadratischen Finsternissen und gleißenden Kanälen dazwischen, das sich ohne Unterschied wiederholt, nicht jede Minute ein Mensch verlorengeht; daß dieses rollende Irgendwoher-Irgendwohin nicht eine Minute aussetzt oder sich plötzlich zum rettungslosen Chaos staut. Da und dort staut es sich zu Teichen voll Weißglut, Times Square zum Beispiel. Schwarz ragen die Wolkenkratzer ringsum, senkrecht, jedoch von der Perspektive auseinandergespreizt wie ein Bund von Kristallen, von größeren und kleineren, von dicken und schlanken. Manchmal jagen Schwaden von buntem Nebel vorbei, als sitze man auf einem Berggipfel, und eine Weile lang gibt es kein Neuyork mehr; der Atlantik hat es überschwemmt. Dann ist es noch einmal da, halb Ordnung wie auf einem Schachbrett, halb Wirr-

warr, als wäre die Milchstraße vom Himmel gestürzt.
Sibylle zeigte ihm die Bezirke, deren Namen er kannte:
Brooklyn hinter einem Gehänge von Brücken, Staten Island, Harlem. Später wird alles noch farbiger; die Wolkenkratzer ragen nicht mehr als schwarze Türme vor der
gelben Dämmerung, nun hat die Nacht gleichsam ihre
Körper verschluckt, und was bleibt, sind die Lichter darin,
die hunderttausend Glühbirnen, ein Raster von weiß-
lichen und gelblichen Fenstern, nichts weiter, so ragen
oder schweben sie über dem bunten Dunst, der etwa die
Farbe von Aprikosen hat, und in den Straßen, wie in
Schluchten, rinnt es wie glitzerndes Quecksilber. Rolf
kam nicht aus dem Staunen heraus: Die spiegelnden Fäh-
ren auf dem Hudson, die Girlanden der Brücken, die
Sterne über einer Sintflut von Neon-Limonade, von
Süßigkeit, von Kitsch, der ins Grandiose übergeht, Vanille
und Himbeer, dazwischen die violette Blässe von Herbst-
zeitlosen, das Grün von Gletschern, ein Grün, wie es in
Retorten vorkommt, dazwischen Milch von Löwenzahn,
Firlefanz und Vision, ja, und Schönheit, ach, eine feen-
hafte Schönheit, ein Kaleidoskop aus Kindertagen, ein
Mosaik aus bunten Scherben, aber bewegt, dabei leblos
und kalt wie Glas, dann wieder bengalische Dämpfe einer
Walpurgisnacht auf dem Theater, ein himmlischer Regen-
bogen, der in tausend Splitter zerfallen und über die Erde
zerstreut ist, eine Orgie der Disharmonie, der Harmonie,
eine Orgie von Alltag, technisch und merkantil über alles,
zugleich denkt man an Tausendundeine Nacht, an Tep-
piche, die aber glühen, an schnöde Edelsteine, an kind-
liches Feuerwerk, das auf den Boden gefallen ist und
weiterglimmt, alles hat man schon gesehen, irgendwo,
vielleicht hinter geschlossenen Augenlidern bei Fieber, da
und dort ist es auch rot, nicht rot wie Blut, dünner, rot

wie die Spiegellichter in einem Glas voll roten Weines, wenn die Sonne hineinscheint, rot und auch gelb, aber nicht gelb wie Honig, dünner, gelb wie Whisky, grünlich-gelb wie Schwefel und gewisse Pilze, seltsam, aber alles von einer Schönheit, die, wenn sie tönte, Gesang der Sirenen wäre, ja, so ungefähr ist es, sinnlich und leblos zugleich, geistig und albern und gewaltig, ein Bau von Menschen oder Termiten, Sinfonie und Limonade, man muß es gesehen haben, um es sich vorstellen zu können, aber mit Augen gesehen, nicht bloß mit Urteil, gesehen haben als ein Verwirrter, ein Betörter, ein Erschrockener, ein Seliger, ein Ungläubiger, ein Hingerissener, ein Fremder auf Erden, nicht nur fremd in Amerika, es ist genau so, daß man darüber lächeln kann, jauchzen kann, weinen kann. Und weit draußen, im Osten, steigt der bronzene Mond empor, eine gehämmerte Scheibe, ein Gong, der schweigt . . . S, S. 415 f

Die Bowery, ein ehemals niederländischer Name, ist ein Viertel, wo auch die Polizei nicht mehr hingeht, Gefilde der Verlorenen, dabei inmitten von Manhattan; man geht um die marmorne Ecke eines Gerichtspalastes, in der Tat, und nach hundert Schritten ist man im Gefilde der Verlorenen, der Besoffenen, der Gescheiterten, der Verkommenen jeder Art, der Menschen, die das Leben selbst gerichtet hat. Man braucht nicht einmal ein Gefängnis für sie; wer in der Bowery gelandet ist, kommt nie wieder heraus. Im Sommer liegen sie im Rinnstein und auf dem Pflaster; man muß sich dann bewegen wie ein Springerchen auf dem Schachbrett, um vorwärts zu kommen. Im Winter hocken sie drinnen um die eisernen Asylöfen, dösen, streiten, schnarchen, erzählen ihre immer gleiche

Geschichte oder verprügeln einander, und es stinkt nach
Fusel, nach Petrol, nach ungewaschenen Füßen.   S, S. 232

Manieren

Man blickt dem andern auf die Füße, bis er wirklich stol-
pert. Warum hat man das nötig? Wer seiner so sicher ist,
wie er tut, warum braucht er die Mängel des andern, die
Summe all seiner Lächerlichkeit?   DS, S. 252

Höflichkeit
Wenn wir zuweilen die Geduld verlieren, unsere Meinung
einfach auf den Tisch werfen und dabei bemerken, daß
der andere zusammenzuckt, berufen wir uns mit Vorliebe
darauf, daß wir halt ehrlich sind. Oder wie man so gerne
sagt, wenn man sich nicht mehr halten kann: Offen gestanden! Und dann, wenn es heraus ist, sind wir zufrieden;
denn wir sind nichts anderes als ehrlich gewesen, das ist ja
die Hauptsache, und im weiteren überlassen wir es dem
andern, was er mit den Ohrfeigen anfängt, die ihm unsere
Tugend versetzt.
Was ist damit getan?
Wenn ich einem Nachbarn sage, daß ich ihn für einen
Hornochsen halte — vielleicht braucht es Mut dazu,
wenigstens unter gewissen Umständen, aber noch lange
keine Liebe, so wenig wie es Liebe ist, wenn ich lüge, wenn
ich hingehe und ihm sage, ich bewundere ihn. Beide Hal-
tungen, die wir wechselweise einnehmen, haben eines
gemeinsam: sie wollen nicht helfen. Sie verändern nichts.
Im Gegenteil, wir wollen nur die Aufgabe loswerden ...
                                                    TaI, S. 59

»Wirklich sein.«

Wirklich, würde ich sagen, ist Goethe. In den Maximen und Reflexionen genügen oft vier Zeilen. Am Ausgang steht eine Feststellung, es folgt die Geburt eines Gedankens, so zwingend und eindeutig, daß man schon auf die Knie geht, um seine Dienste anzubieten, und dann, wo unsereiner es nicht verkneifen könnte, Schlüsse zu ziehen, die jeden Zweifel überrennen, Schlüsse, die einem Kreuzzug gleichkommen, geschieht das Unerwartete, das Gegenteil einer Zuspitzung: er stellt dem Gedanken, ohne ihn zu widerrufen, eine Erfahrung gegenüber, die eher widerspricht, mindestens eindämmt, eine Erfahrung, die der gleiche Kopf, der eben jenen Gedanken geboren hat, ebenfalls gelten läßt, einfach weil es eine Erfahrung ist, eine lebendige, eine wirkliche. Das ist das scheinbar Versöhnliche seiner Reflexionen, daß sie fast immer Licht und Schatten zeigen. Scheinbar; denn sie versöhnen den Widerspruch keineswegs. Sie halten ihn nur in der Balance, in einem Zustand wechselseitiger Befruchtung, Balance zwischen Denken und Schauen. Nichts geht ins Tödliche, weil es die widersprechende Erfahrung nicht überrennt, nicht übermütig unterjocht, sondern die Kraft hat, sie aufzunehmen — die Kraft, wirklich zu bleiben, oder genauer: immer aufs neue wirklich zu werden.   TaI, S. 227 f

Das Höfliche, oft als leere Fratze verachtet, offenbart sich als eine Gabe der Weisen. Ohne das Höfliche nämlich, das nicht im Gegensatz zum Wahrhaftigen steht, sondern eine liebevolle Form für das Wahrhaftige ist, können wir nicht wahrhaftig sein und zugleich in menschlicher Gesellschaft leben, die hinwiederum allein auf der Wahrhaftigkeit bestehen kann — also auf der Höflichkeit.

Höflichkeit natürlich nicht als eine Summe von Regeln, die
man drillt, sondern als eine innere Haltung, eine Bereitschaft, die sich von Fall zu Fall bewähren muß —
Man hat sie nicht ein für allemal.

Wesentlich, scheint mir, geht es darum, daß wir uns vorstellen können, wie sich ein Wort oder eine Handlung, die
unseren eigenen Umständen entspringt, für den anderen
ausnimmt. Man macht, obschon es vielleicht unsrer eignen
Laune entspräche, keinen Witz über Leichen, wenn der
andere gerade seine Mutter verloren hat, und das setzt
voraus, daß man an den andern denkt. Man bringt Blumen: als äußeren und sichtbaren Beweis, daß man an die
andern gedacht hat, und auch alle weiteren Gebärden zeigen genau, worum es geht. Man hilft dem andern, wenn er
den Mantel anzieht. Natürlich sind es meistens bloße
Faxen; immerhin erinnern sie uns, worin das Höfliche
bestünde, das wirkliche, wenn es einmal nicht als Geste
vorkommt, sondern als Tat, als lebendiges Gelingen —
Zum Beispiel:

Man begnügt sich nicht damit, daß man dem andern einfach seine Meinung sagt; man bemüht sich zugleich um ein
Maß, damit sie den andern nicht umwirft, sondern ihm
hilft; wohl hält man ihm die Wahrheit hin, aber so, daß
er hineinschlüpfen kann.   Ta I, S. 60 f

Tägliche Erfahrung im kleinen: Dein Anstand ist die beste
und billigste Waffe deiner Feinde! Du hast dir verspro-
chen, nicht zu lügen — zum Beispiel — und das ist schön
von dir, splendid, wenn du es dir leisten kannst; es ist
närrisch, wenn du dir einbilden würdest, daß du damit
ohne weiteres der Wahrheit dienst. Du dienst deiner
Anständigkeit.   Ta I, S. 253

Der Wahrhaftige, der nicht höflich sein kann oder will, darf sich jedenfalls nicht wundern, wenn die menschliche Gesellschaft ihn ausschließt. Er darf sich nicht einmal damit brüsten, wie es zwar üblich ist, je mehr er nämlich unter seinem Außenseitertum leidet. Er trägt eine Gloriole, die ihm nicht zukommt. Er übt eine Wahrhaftigkeit, die stets auf Kosten der andern geht —. TaI, S. 60

Charme, zur Haltung gemacht, ist etwas Fürchterliches. Waffenstillstand mit der eignen Lüge. Daher das Kampflose, Müde, Mumifizierende. TaI, S. 239

Das allgemeine Verlangen nach einer Antwort, einer allgemeinen, das oft so vorwurfsvoll, oft so rührend ertönt, vielleicht ist es doch nicht so ehrlich, wie der Verlangende selber meint. Jede menschliche Antwort, sobald sie über die persönliche Antwort hinausgeht und sich eine allgemeine Gültigkeit anmaßt, wird anfechtbar sein, das wissen wir, und die Befriedigung, die wir im Widerlegen fremder Antworten finden, besteht dann darin, daß wir darüber wenigstens die Frage vergessen, die uns belästigt — das würde heißen: wir wollen gar keine Antwort, sondern wir wollen die Frage vergessen.
Um nicht verantwortlich zu werden. TaI, S. 141

Jeder Gedanke ist in dem Augenblick, wo wir ihn zum erstenmal haben, vollkommen wahr, gültig, den Bedingungen entsprechend, unter denen er entsteht; dann aber, indem wir nur das Ergebnis aussprechen, ohne die Summe seiner Bedingungen aussprechen zu können, hängt er

plötzlich im Leeren, nichtssagend, und jetzt erst beginnt
das Falsche, indem wir uns umsehen und Entsprechungen
suchen ... (Denn die Sprache, selbst die ungesprochene,
ist niemals imstande, in einem Augenblick alles einzufangen, was uns in diesem Augenblick, da ein Gedanke entsteht, alles bewußt ist, geschweige denn das Unbewußte)
... so stehen wir denn da und haben nichts als ein Ergebnis, erinnern uns, daß das Ergebnis vollkommen stimmte,
beziehen es auf Erscheinungen, die diesen Gedanken selber
nie ergeben hätten, überschreiten den Bereich seiner Gültigkeit, da wir die Summe seiner Bedingungen nicht mehr
wissen, oder mindestens verschieben wir ihn — und schon
ist der Irrtum da; die Vergewaltigung, die Überzeugung.
Oder kurz:
Es ist leicht, etwas Wahres zu sagen, ein sogenanntes
Aperçu, das im Raum des Unbedingten hängt; es ist
schwierig, fast unmöglich, dieses Wahre anzuwenden, einzusehen, wieweit eine Wahrheit gilt.
(Wirklich zu sein!)   TaI, S. 228 f

Nationalität: Schweiz

Man kann mit diesen Schweizern nicht über Freiheit
sprechen, ganz einfach, weil sie es nicht ertragen, daß man
sie in Frage stellt, die Freiheit, und daß man sie nicht als
ein schweizerisches Monopol betrachtet, sondern als ein
Problem. Überhaupt fürchten sie sich vor jeder offenen
Frage; sie denken immer gerade so weit, wie sie die Antwort schon in der Tasche haben, eine praktische Antwort,
eine Antwort, die ihnen nützlich ist. Und insofern denken
sie überhaupt nicht; sie rechtfertigen nur. Sie wagen es
unter keinen Umständen, sich selbst in Zweifel zu ziehen.

Ist das nicht gerade das Zeichen geistiger Unfreiheit? Sie
können sich wohl vorstellen, daß Frankreich oder Groß-
britannien einmal untergehen; aber nicht die Schweiz, das
würde Gott, sofern er nicht Kommunist wird, nie zulassen, denn die Schweiz ist doch die Unschuld.   s, s. 259

Die Körperpflege in der Schweiz, finden wir beide, steht
in einem bemerkenswerten Widerspruch zu ihrer sonstigen
Reinemacherei.   ANATOL L. STILLER UND FREUND   s, s. 42

Was auffällt, wenn man draußen gewesen ist: das Ver-
krampfte unsrer Landsleute, das Unfreie unseres Umgan-
ges, ihre Gesichter voll Fleiß und Unlust; nicht auszuhalten, wenn sie von ihrem bescheidenen Wesen reden; in
Wahrheit, sobald gewisse Hemmungen fallen, zeigt sich
das Gegenteil; es fehlt nicht an gestautem Ehrgeiz, der
auf Weltmeisterschaften lauert, und in besseren Kreisen
sind es Pestalozzi, Gotthelf, Burckhardt, Keller und andere Verstorbene, die man sich ins Knopfloch steckt; man
erschrickt oft über sich selber, über die fast krankhafte Emp-
findlichkeit, wenn ein andrer nicht begeistert ist von uns.
Irgendwie fehlt uns das natürliche Selbstvertrauen. Immer wieder auffallend ist die Art, wie sie mit ihren einheimischen Künstlern umgehen, wie sie ihnen auf die
Schulter klopfen bestenfalls mit dem Ton einer warnen-
den Anerkennung, eine Aufmunterung, eine wirkliche,
eine Erwartung, die nicht unter Bedenken röchelt, kommt
meistens von einem Ausländer; zum Glück hatten wir in
der Zeit, da wir die Türen schließen mußten, wenigstens
die Emigranten im Haus. Dabei wäre die nüchterne Zu-
rückhaltung unserer Landsleute, wenn sie stimmt, gerade-

zu wunderbar; was sie fragwürdig macht, ist der beden-
kenlose Kniefall vor allem Fremden. Der erwähnte
Mangel an Selbstvertrauen, der sich so und so verrät,
macht unsere Künstler nicht bescheiden, was jedenfalls
ein Gewinn wäre; sondern unsere Landsleute, wenn wir
auf sie angewiesen sind, machen uns nur kleinmütig, und
die unvermeidliche Kehrseite davon ist das Anmaßende,
also wiederum eine Verkrampfung. Anderseits hat es auch
wieder seinen Segen, wenn man einem Volk angehört, das
seine Künstler niemals durch Verwöhnung verdirbt, und
zwar ohne jede Ironie: der deutsche und vielleicht abend-
ländische Irrtum, daß wir Kultur haben, wenn wir Sin-
fonien haben, ist hierzulande kaum möglich; der Künstler
nicht als Statthalter der Kultur; er ist nur ein Glied unter
anderen; Kultur als eine Sache des ganzen Volkes; wir
erkennen sie nicht allein auf dem Bücherschrank und am
Flügel, sondern ebensosehr in der Art, wie man seine
Untergebenen behandelt. Sofern man Kultur in diesem
Sinne meint, der mir der zukünftige scheint, müßten wir
in keiner Weise erschrecken, wenn sie uns gelegentlich
einen Anachronismus nennen; ich meine weniger die Verwirklichung, sondern die Idee der Schweiz, die ich vor
allem liebe, und wenn ich noch einmal aus freien Stücken
wählen könnte, was die Geburt schon entschieden hat,
möchte ich trotzdem nichts anderes als ein Schweizer sein;
nach der Idee, die unsere eigentliche Heimat ist, sind es
natürlich auch einzelne Landschaften, die man liebt, aber
erst in zweiter Linie; am wenigsten weiß ich, ob ich
unsere Landsleute liebe — sicher nicht mehr als die ent-
sprechenden Gesichter aus anderen Völkern, und es erschiene mir nicht einmal als Ziel, im Gegenteil; Liebe zum
Vaterland, so verstanden, wird zum Verrat an der Heimat;
unsere Heimat ist der Mensch; ihm vor allem gehört

unsere Treue; daß sich Vaterland und Menschheit nicht
ausschließen, darin besteht ja das große Glück, Sohn eines
kleinen Landes zu sein.   TaI, S. 168 f

Er verbittet sich Witze, alles Sowjetische eignet sich seiner
Meinung nach sowieso nicht für Witze; das ist einfach zu
böse, so wie anderseits alles Schweizerische einfach zu gut
ist, um sich für Witze zu eignen!   DR. JUR. BOHNENBLUST
                                            S, S. 45

[. . .] ich hasse nicht die Schweiz, sondern die Verlogenheit. Das ist, auch wenn es in der Folge oft aufs gleiche
hinausläuft, grundsätzlich ein Unterschied. Als Häftling,
mag sein, bin ich besonders empfindlich auf ihr Schlag-
wort von der Freiheit. Was, zum Teufel, machen sie denn
mit ihrer sagenhaften Freiheit? Wo es irgendwie kostspielig wird, sind sie so vorsichtig wie irgendein deutscher
Untertan. In der Tat, wer kann es sich denn leisten, Frau
und Kinder zu haben, eine Familie mit Zubehör, wie es
sich gehört, und zugleich eine freie Meinung nicht bloß in
Nebensachen? Dazu braucht es Geld, so viel Geld, daß
einer keine Aufträge braucht und keine Kunden und kein
Wohlwollen der Gesellschaft. Wer aber so viel Geld bei-
sammen hat, daß er sich wirklich die freie Meinung leisten
könnte, ist ohnehin mit den herrschenden Verhältnissen
meistens einverstanden. Was heißt das? Auch hierzulande
herrscht das Geld, heißt das. Wo bleibt also ihre glorreiche
Freiheit, die sie sich wie einen verdorrten Lorbeer hinter
den Spiegel stecken; wo bleibt sie in ihrer täglichen Wirklichkeit?   S, S. 258

Es macht ihn nervös, wenn es nicht mit rechten Dingen zugeht, und vor allem kann er als ein rechtschaffener Schweizer es nicht haben, daß man sich über Mißstände amüsiert, statt sie zu verurteilen und mit Entschiedenheit hinter den Eisernen Vorhang zu verweisen.

DR. JUR. BOHNENBLUST   S, S. 48

C. F. Ramuz, der Dichter unsrer französischen Schweiz, kürzlich verstorben, steckt bereits, wie ich heute sehe, in unserem vaterländischen Knopfloch: Gotthelf, Keller, Meyer, Spitteler, Ramuz . . . Eh bien! Dagegen ist nur zu sagen: vor wenigen Monaten, als Ramuz vor der letzten Operation stand, mußte er den Schriftstellerverein anfragen, ob man ihm zweitausend Franken für diese Operation geben könnte —

Die Stellung des Schriftstellers in der Schweiz, selbst eines einmaligen wie Ramuz, überhaupt die Stellung der Künstler, der Intellektuellen, sofern ihre intellektuelle Leistung nicht gerade der Industrie dient, ist eine erbärmliche, erbärmlich mindestens im Vergleich zum durchschnittlichen Wohlstand unsres Landes. Dennoch wäre es dumm, daraus eine Verbitterung zu machen. Zwar hätten unsere Zeitungen, da sie ja im Wirtschaftlichen wurzeln, durchaus die Möglichkeit, anständig zu sein, Honorare zu zahlen, wie man sie auch einem Arzt oder einem Ingenieur zahlen muß. Davon sind sie weit entfernt; die allgemeine Geringschätzung einer Arbeit, die einen geringen Lohn bringt, wäre eine Schnurre für sich! Was unsere Zeitungen anlangt, sehe ich sie als Nutznießer einer Notlage, die sie nichts angeht, jenes Umstandes nämlich, daß unsere Verleger wirklich nicht zahlen können. In der Tat, solange die Schweiz auf sich verwiesen bleibt, ist es so, daß unsere

Verleger nicht leben können, wenn auch der Schriftsteller leben will; der Schriftsteller hat aber ein Interesse daran, daß sein Verleger lebt, und also muß er halt in Gottesnamen, nicht immer zu seinem Schaden, einen Beruf ausüben, wenn er schon schreiben will. Das hat viel für sich. Immerhin sollte ein Ramuz nicht betteln müssen, bevor er ins Spital fährt, um in Ehren zu sterben. Verkehrt aber schiene mir jede Verbitterung, die sich gegen unsere Landsleute richtet, gegen ihre geringe Lesefreude oder so. Wir sind zwei und eine halbe Million von Deutschsprechenden, davon viele Bauern, wenig Städter. Nehmen wir Deutschland mit sechzig Millionen. Bei gleicher Leserdichte, und die deutsche Leserdichte wird besonders gerühmt, würde das heißen: Fünfhundert Gedichtbände, verkauft in der Schweiz, entsprechen einem deutschen Absatz von zwölftausend. Wie oft kommt das vor? Ein Schauspiel, das hier in zweitausend Stück verkauft wird, müßte in Deutschland, bei gleicher Nachfrage, eine Auflage von achtundvierzigtausend erreichen. Wie oft kommt das vor? Unsre Leserdichte ist nicht schlecht, auch verglichen mit dem literarischen Frankreich, wo die Bücher eines Dramatikers, der in aller Munde ist, nicht über das fünfte Tausend gelangen. So kann sich der schweizerische Schriftsteller, meine ich, jederzeit auf einer Zigarettenschachtel ausrechnen, daß er unmöglich leben kann — und dennoch keinen Grund hat, deswegen bitter zu sein.

TaI, S. 250 f

Wer macht unser Bild

Wir können alles von einem Menschen vergessen, nur das nicht, was er einmal über uns selber gesagt hat. DS, S. 149

»Ich sehe Stiller nicht als Sonderfall«, sagt mein Staatsanwalt. »Ich sehe einige meiner Bekannten und mich selbst
darin, wenn auch mit anderen Beispielen von Selbstüberforderung . . . Viele erkennen sich selbst, nur wenige kommen dazu, sich selbst auch anzunehmen. Wieviel Selbsterkenntnis erschöpft sich darin, den andern mit einer noch
etwas präziseren und genaueren Beschreibung unserer
Schwächen zuvorzukommen, also in Koketterie! Aber auch
die echte Selbsterkenntnis, die eher stumm bleibt und sich
wesentlich nur im Verhalten ausdrückt, genügt noch nicht,
sie ist ein erster, zwar unerläßlicher und mühsamer, aber
keineswegs hinreichender Schritt. Selbsterkenntnis als lebenslängliche Melancholie, als geistreicher Umgang mit unserer früheren Resignation ist sehr häufig, und Menschen
dieser Art sind für uns zuweilen die nettesten Tischge-
nossen; aber was ist es für sie? Sie sind aus einer falschen
Rolle ausgetreten, und das ist schon etwas, gewiß, aber es
führt sie noch nicht ins Leben zurück . . . Daß die Selbstannahme mit dem Alter von selber komme, ist nicht wahr.
Dem Älteren erscheinen die früheren Ziele zwar fragwür-
diger, das Lächeln über unseren jugendlichen Ehrgeiz
wird leichter, billiger, schmerzloser; doch ist damit noch
keinerlei Selbstannahme geleistet. In gewisser Hinsicht
wird es mit dem Alter sogar schwieriger. Immer mehr
Leute, zu denen wir in Bewunderung emporschauen, sind
jünger als wir, unsere Frist wird kürzer und kürzer, eine
Resignation immer leichter in Anbetracht einer doch
ehrenvollen Karriere, noch leichter für jene, die überhaupt keine Karriere machten und sich mit der Arglist
der Umwelt trösten, sich abfinden können als verkannte
Genies . . . Es braucht die höchste Lebenskraft, um sich
selbst anzunehmen . . . In der Forderung, man solle seinen
Nächsten lieben wie sich selbst, ist es als Selbstverständ-

lichkeit enthalten, daß einer sich selbst liebe, sich selbst
annimmt, so wie er erschaffen worden ist. Allein auch mit
der Selbstannahme ist es noch nicht getan! Solange ich
die Umwelt überzeugen will, daß ich niemand anders als
ich selbst bin, habe ich notwendigerweise Angst vor Miß-
deutung, bleibe ihr Gefangener kraft dieser Angst...
Ohne die Gewißheit von einer absoluten Instanz außerhalb menschlicher Deutung, ohne die Gewißheit, daß es
eine absolute Realität gibt, kann ich mir freilich nicht
denken«, sagt mein Staatsanwalt, »daß wir je dahin gelangen können, frei zu sein.«   ANATOL L. STILLER   S, S. 425 f

Kassandra, die Ahnungsvolle, die scheinbar Warnende
und nutzlos Warnende, ist sie immer ganz unschuldig an
dem Unheil, das sie vorausklagt?
Dessen Bildnis sie entwirft.
Irgendeine fixe Meinung unsrer Freunde, unsrer Eltern,
unsrer Erzieher, auch sie lastet auf manchem wie ein
altes Orakel. Ein halbes Leben steht unter der heimlichen
Frage. Erfüllt es sich oder erfüllt es sich nicht. Mindestens
die Frage ist uns auf die Stirne gebrannt, und man wird
ein Orakel nicht los, bis man es zur Erfüllung bringt. Dabei muß es sich durchaus nicht im geraden Sinn erfüllen;
auch im Widerspruch zeigt sich der Einfluß, darin, daß
man so nicht sein will, wie der andere uns einschätzt. Man
wird das Gegenteil, aber man wird es durch den andern.
                                                    TaI, S. 33

»Die weitaus meisten Menschenleben werden durch Selbstüberforderung vernichtet«, sagt er und erklärt es sich
etwa folgendermaßen: »Unser Bewußtsein hat sich im

Lauf einiger Jahrhunderte sehr verändert, unser Gefühlsleben sehr viel weniger. Daher eine Diskrepanz zwischen unserem intellektuellen und unserem emotionellen Niveau. Die meisten von uns haben so ein Paket mit fleischfarbenem Stoff, nämlich Gefühle, die sie von ihrem intellektuellen Niveau aus nicht wahrhaben wollen. Es gibt zwei Auswege, die zu nichts führen; wir töten unsere primitiven und also unwürdigen Gefühle ab, soweit als möglich, auf die Gefahr hin, daß dadurch das Gefühlsleben überhaupt abgetötet wird, oder wir geben unseren unwürdigen Gefühlen einfach einen anderen Namen. Wir lügen sie um. Wir etikettieren sie nach dem Wunsch unseres Bewußtseins. Je wendiger unser Bewußtsein, je belesener, um so zahlreicher und um so nobler unsere Hintertüren, um so geistvoller die Selbstbelügung; man kann sich ein Leben lang damit unterhalten, und zwar vortrefflich, nur kommt man damit nicht zum Leben, sondern unweigerlich in die Selbstentfremdung. Beispielsweise können wir uns den Mangel an Mut, einmal in die Knie zu gehen, unschwer als gute Haltung auslegen, die Angst vor Selbstverwirklichung unschwer als Selbstlosigkeit und so fort. Die meisten von uns wissen nur allzu gut, was sie in dieser oder jener Situation empfinden sollten, beziehungsweise nicht empfinden dürften, und haben selbst bei gutem Willen bereits die allergrößte Mühe herauszufinden, welcher Art ihre tatsächlich vorhandenen Gefühle sind. Das ist ein übler Zustand. Sarkasmus allem Gefühl gegenüber ist das klassische Symptom dafür ... Zur Selbstüberforderung gehört unweigerlich eine falsche Art von schlechtem Gewissen. Einer nimmt es sich übel, kein Genie zu sein, ein anderer nimmt es sich übel, trotz guter Erziehung kein Heiliger zu sein, und Stiller nahm es sich übel, kein Spanienkämpfer zu sein ... Es ist merk-

würdig, was sich uns, sobald wir in der Selbstüberforderung und damit in der Selbstentfremdung sind, nicht
alles als Gewissen anbietet. Die innere Stimme, die be-
rühmte, ist oft genug nur die kokette Stimme eines Pseudo-
Ich, das nicht duldet, daß ich es endlich aufgebe, daß ich
mich selbst erkenne, und es mit allen Listen der Eitelkeit,
nötigenfalls sogar mit Falschmeldungen aus dem Himmel
versucht, mich an meine tödliche Selbstüberforderung zu
fesseln. Wir sehen wohl unsere Niederlagen, aber begreifen sie nicht als Signale, als Konsequenzen eines verkehr-
ten Strebens, eines Strebens weg von unserem Selbst.
Merkwürdigerweise ist ja die Richtung unserer Eitelkeit
nicht, wie es zu sein scheint, eine Richtung auf unser
Selbst hin, sondern weg von unserem Selbst.«   3, S. 423 f

Man kann alles erzählen, nur nicht sein wirkliches Leben;
— diese Unmöglichkeit ist es, was uns verurteilt zu bleiben, wie unsere Gefährten uns sehen und spiegeln, sie,
die vorgeben, mich zu kennen, sie, die sich als meine
Freunde bezeichnen und nimmer gestatten, daß ich mich
wandle, und jedes Wunder (was ich nicht erzählen kann,
das Unaussprechliche, was ich nicht beweisen kann) zu-
schanden machen — nur um sagen zu können:
»Ich kenne dich.«   S, S. 83

In gewissem Grad sind wir wirklich das Wesen, das die
andern in uns hineinsehen, Freunde wie Feinde. Und umgekehrt! auch wir sind die Verfasser der andern; wir sind
auf eine heimliche und unentrinnbare Weise verantwortlich für das Gesicht, das sie uns zeigen, verantwortlich
nicht für ihre Anlage, aber für die Ausschöpfung die-

ser Anlage. Wir sind es, die dem Freunde, dessen Er-
starrtsein uns bemüht, im Wege stehen, und zwar dadurch,
daß unsere Meinung, er sei erstarrt, ein weiteres Glied in
jener Kette ist, die ihn fesselt und langsam erwürgt. Wir
wünschen ihm, daß er sich wandle, o ja, wir wünschen es
ganzen Völkern! Aber darum sind wir noch lange nicht
bereit, unsere Vorstellung von ihnen aufzugeben. Wir
selber sind die letzten, die sie verwandeln. Wir halten uns
für den Spiegel und ahnen nur selten, wie sehr der andere
seinerseits eben der Spiegel unsres erstarrten Menschen-
bildes ist, unser Erzeugnis, unser Opfer —.   TaI, S. 33 f

Die Alternative Sowjetunion

Moralische Aufrüstung
»Sie vollbringen Wunder dort oben, kein Zweifel, sie pro-
duzieren Christentum einmal nicht mit den Armen, sondern mit den Reichen, wo es scheinbar mehr abwirft, und
da erreichen sie es denn wahrhaftig, daß so ein Wegelagerer, nachdem er genug erbeutet hat, in sich geht und
seine zwei, drei, vier oder neun Millionen für Seelenfrie-
den ausgibt oder doch wenigtens dafür, dem Kommunismus rasch eine bessere Ideologie entgegenzustellen, für
seine eigene Person nur noch eine einzige Million behält,
um nicht der Gemeinde als alter Mann zur Last zu fallen;
ich kann solches Christentum halt nicht riechen; sieben
Millionen, sagen sie, sind besser als nichts, und alles in
einer so freiwilligen und menschlichen Art zurückerstattet,
weißt du, daß die Arbeiter aller Länder, wenn sie einigermaßen Takt haben, nie gegen einen Wegelagerer vorgehen
sollten, denn die Möglichkeit, daß so ein kapitalistischer
Wegelagerer plötzlich in sich geht und die Welt einfach

von innen heraus verbessert, ist in dem Hotel dort oben nun ein für allemal erwiesen, also bitte, wenn ihr eine bessere Welt haben wollt, bitte keine Revolution!«
ANATOL L. STILLER   S, S. 547 f

Stadtrundfahrt mit dem Oberbaumeister der Stadt Gorki. Es wird viel gebaut, aber ich hätte Fragen. Stattdessen wird dasselbe und nochmals dasselbe gezeigt und nochmals. Ich sehe: Wohnblock neben Wohnblock wie Kisten für Bienen, alles fünfstöckig, eine gigantische Öde. Ich frage: Wie sind Ihre Erfahrungen mit Hochhäusern? Aber ja, aber sicher, aber natürlich: Hochhäuser sehr gut. Warum sehe ich keins? Als Entgegenkommen gestehe ich, daß ich in einem Hochhaus wohne und darin nicht glücklich bin; es bleibt der Verdacht, daß ich, Gast aus dem kapitalistischen Westen, dem Sozialismus wohl keine Hochhäuser zutraue. Also: viele Hochhäuser in der Sowjetunion, aber ja, Hochhäuser sehr viel. Dazwischen ein Werk unseres Oberbaumeisters: eine Schule; er hat's noch immer mit Pilastern und Baalbek-Säulen. Weitere Belehrung: Hochhäuser bieten Vorteil, nämlich mehr freie Sicht bei gleicher Wohndichte. Das weiß ich, das ist im Westen auch so, aber ich sage nichts. Wozu! Ein schöner Blick auf die Wolga, während schon am vierten Beispiel erläutert wird, was man seit Jahrzehnten begriffen hat: Vorfabrikation der Elemente. Es ist ärgerlich. Beim ersten Beispiel habe ich genickt, um dem Mann nicht die Freude zu nehmen; beim zweiten Beispiel mit der unveränderten Erläuterung habe ich genickt, um ihm eine dritte Erläuterung zu sparen; beim dritten Beispiel lasse ich durch den Übersetzer daran erinnern, daß ich einmal Architektur studiert habe. Übrigens sind es keine Varianten der bekannten Bauweise, sondern genaue Wiederholungen, was der Oberbaumeister zeigt: als Errungenschaft des Sozialismus. Beim vierten Beispiel schaue ich nach der andern Seite: zur Wolga. Ich nicke, ich nicke. Ich bin nicht erpicht auf alte Kirchen, aber da ist eine, und sie wird gezeigt auch von innen; man ist stolz auf die schönen alten russischen Kirchen. Zu Recht. Wir fahren weiter: Siedlungen wie gehabt, Siedlungen im Bau, ich schaue und schaue, wie es sich gehört, und schweige und sollte gelegentlich wieder etwas sagen. Ich schwitze. Was ich sehe, ist leider nicht zu loben: stur und scheußlich und ohne Einfall, ungenügend für eine Diplom-Arbeit, aber ausgeführt. Ich lobe die Bäume an der Straße und vernehme, sie wurden gepflanzt, alle gepflanzt. Einmal eine große Fabrik: hier werden also die Wolga-Autos hergestellt. Man zeigt auf ein Gebäude: Laboratorium! und da ich nicht verwundert bin, noch einmal: Laboratorium! Ich erfahre, daß die sowjetischen Ingenieure, bevor ein Auto in der Serie hergestellt wird, viele Versuche machen und Berechnungen und so. Als sie auf der Rückfahrt wieder sagen: Laboratorium! bin ich verlegen; Schweigen wird als Mißtrauen empfunden, wenn nicht als verstockter Neid. Ich frage, was ein Wolga-Auto kostet. 5200 Rubel. Da man Verblüffung erwartet, wieviel billiger die Wagen sind als im kapitalistischen Westen, beginne ich zu rechnen. Nach dem schwarzen Kurs: 6000 Franken, also ein Volkswagen. Aber dieser Kurs, ich weiß, kommt nicht in Frage. Nach dem offiziellen Kurs: 22 000 Franken, also ein Porsche; aber ich kenne den Wolga-Wagen, wir fahren in einem Wolga-Wagen, ich gestehe meine Verblüffung, wie teuer er ist, wenn ich die Löhne bedenke: 100 bis 170 Rubel im Monat. Aber dafür, so höre ich, ist das Benzin viermal billiger als im Westen —   TaII, S. 155 ff

Prag, Februar 1967
Volkseigentum scheint noch nicht zur Pflege anzuspornen.
Ich erkundige mich, warum die Zufahrtstraße zu der
Siedlung, die schätzungsweise fünfhundert Wohnungen
enthält, nach zwei Jahren noch nicht ausgebaut ist. Ein
paar Bagger wühlen im Gelände. Wenn's regnet, stapfen
die Einwohner durch Morast. Zwei Ämter, heißt es, können sich nicht koordinieren. Reklamieren die Einwohner
nicht? Sie werden sich hüten; zuviele warten auf solche
Wohnungen. Es wird viel geschwiegen.   TaII, S. 69 f

Gespräch:
Mihalkov (Gesamtauflage 75 Millionen) erklärt mir, wie
der sowjetische Schriftsteller bezahlt wird. Ich verstehe:
die sowjetische Literatur wird nicht von kapitalistischem
Profit-Denken manipuliert; nicht die Nachfrage, sondern
die Behörden bestimmen die Auflage. Im Westen, sagt er,
ist der Schriftsteller immer abhängig vom Publikum;
hier nicht. Mihalkov ist ein leutseliger Mann. Kein so-
wjetisches Kind wächst ohne seine Kinderbücher auf.
Mihalkov schreibt auch für die Bühne und das Fernsehen.
Und dazu noch ein Amt innezuhaben, wie er es innehat,
ist natürlich eine Belastung, der sich der sowjetische
Schriftsteller aber unterzieht; Dienst an der Gesellschaft.
Mihalkov spricht deutsch. Das Papier ist immer noch zu
knapp, um jedes Buch in großer Auflage herauszubringen.
Der sowjetische Schriftsteller wird nach der Auflage bezahlt, die, wie gesagt, die Behörde bestimmt und zwar im
voraus; es schadet ihm nicht, wenn das Publikum ein
anderes Buch vorziehen würde. Ich verstehe. Mihalkov
ist Vorsitzender des Schriftsteller-Verbandes von Moskau.
Ich nicke viel... Es hat keinen Sinn, daß man wider-

spricht. Ich habe es versucht. Ich lobe nur Löbliches; das
gibt es ja auch. Ich gebe keine Antworten, die ich nicht
anderswo auch geben würde. Die Lüge beginnt im Verschweigen. Natürlich kann ich als Ausländer ohne weiteres sagen, was ich will; langsam gibt man es auf. Das
Richtige ist das Offiziöse. Da es jeweils bekannt ist, gibt
es nichts zu diskutieren. Am besten ist es, wenn man sich
in Rußland einfach wohlfühlt. Ich lobe die Breite der
Wolga; ich hüte mich, Erinnerungen an den Mississippi
auszusprechen; Vergleiche verdrießen sie. Am Mittags-
tisch, als Gast zwischen Funktionäre gesetzt, lobe ich den
grusinischen Wein, der sehr gut ist; ich zeige unablässig,
daß ich mich wohlfühle. Ich werde nicht gefragt: Wie
sehen Sie die Unruhen in Berlin, die Lage in Paris, die
Zwischenfälle in Rom? Man ist nicht neugierig auf Infor-
mation. Ich lobe die sowjetischen Gurken. Man kann auch
die alten Ikonen loben. Wenn man ihnen nicht zuvor-
kommt, loben sie ihre Gurken selbst, und das ist auch
mühsam. Natürlich verschweige ich, was ich vermisse;
ich bin ja nicht gekommen, um zu kränken. Meine arme
Sofija: sie verkürzt meine Fragen schon in der Übersetz-
zung, um das Ungehörige zu mildern, und leidet vor ihren
Vorgesetzten wie eine Mutter mit einem tolpatschigen
Kind. Wer dann auf meine Frage antwortet, spielt kaum
eine Rolle; sie widersprechen einander nie. Sie kennen
Kritik nur als Kritik am Westen, diese ist hemmungslos
und einfach, unbekümmert um Tatsachen; Kritik an
sowjetischen Verhältnissen steht niemand zu — sie üben
sie selbst nicht, die Funktionäre jedenfalls nicht.

TaII, S. 152 f

Herr Piper interessierte mich schon gar nicht, ein Mann, der aus Überzeugung in Ostdeutschland lebt.

WALTER FABER   HF, S. 159 f

Seit langer Zeit zum ersten Mal am Alexander-Platz. Vorher durch die Schleuse der Verdächtigung; die grünen Uniformen erinnern mich ungerechterweise an die Hitlerzeit. Befangenheit meinerseits. Warum eigentlich? Ich gehöre einem Staat an, der diesen Staat nicht anerkennt; ich anerkenne. Gang durch die Hauptstadt mit preußischer Geschichte, Plakate mit Lenin vor der Architektur eines Wirtschaftswunders. Meine Befangenheit verliert sich auf der Fahrt durch märkisches Land, Ebene mit Wald, großer lichter Himmel.   TaII, S. 346

Keine Revolution hat je die Hoffnung derer, die sie gemacht haben, vollkommen erfüllt; leiten Sie aus dieser Tatsache ab, daß die große Hoffnung lächerlich ist, daß Revolution sich erübrigt, daß nur der Hoffnungslose sich Enttäuschungen erspart usw., und was erhoffen Sie sich von solcher Ersparnis?   TaII, S. 182

Februar 1968
Enteignung und Entmachtung der wenigen, deren Freiheit auf Kosten des arbeitenden Volkes geht, kann ja nicht das Ziel sein, wenn sich daraus nicht Freiheit für das arbeitende Volk ergibt. Die neuen Männer in Prag sprechen nüchtern, aber ihr Versuch ist kühn, Sozialismus zu entwickeln in der Richtung seines Versprechens. Ob ihnen das Gelingen gegönnt wird? Zu vermuten, daß dieser Ver-

such nichts anderes bedeute als eine reuige Rückkehr in den Kapitalismus, wäre ein Irrtum, jede Zustimmung in diesem Sinn zudem ein schlechter Dienst, nämlich genau die Auslegung, die die Feinde der Demokratisierung haben möchten, um sie unterdrücken zu können. Noch mehr von diesem falschen Beifall für Dubček (hier und in der Bundesrepublik) ist Denunziation — aber nicht ahnungslos; »ein Sozialismus mit menschlichem Gesicht«, das können sich unsere Macht-Inhaber nicht wünschen.

TaII, S. 111 f

Begegnung mit einem Kollegen aus der DDR, den ich seit 1945 nicht mehr gesehen habe. Warum wird es, auch bei Freundlichkeit von beiden Seiten, ein Eiertanz? Sie sind geschult, wissen, was sie keinesfalls sagen werden, und geben sich dennoch sehr offen. Das Kind, das mit einer Eisenbahn spielt, erkennt schon an den Häusern, daß Faschisten drin wohnen. Wir sprechen über anderes. Stolz der Eltern auf ihre antiautoritäre Erziehung. Plötzlich sagt das Kind, das den Vater mit seinem Vornamen anspricht, und es ist rührend: Ich kann nicht mehr! Es ist müde und will nach Hause. Einverständnis des Vaters: In fünf Minuten. Er will noch zu Ende erzählen, sagt es mit zärtlichem Entgegenkommen: In zwei Minuten. Das Kind will sofort, nicht in zwei Minuten, sondern jetzt; es sagt: Sonst lasse ich dich verhaften! Man lacht. Kindermund.

TaII, S. 314 f

Jemand berichtet von einer verbürgten Begegnung zwischen Robert Walser und Lenin an der Spiegelgasse in Zürich, 1917, dabei habe Robert Walser eine einzige Frage

an Lenin gerichtet: Haben Sie auch das Glarner Birnbrot
so gern? Ich zweifle im Traum nicht an der Authentizität
und verteidige Robert Walser, bis ich daran erwache —
ich verteidige Robert Walser noch beim Rasieren.

TaII, S. 165

Dank an Kollegen und Zeitgenossen

Hamlet mit dem Schädel des Yorick: —
Wenn diese Szene erzählt wird, muß man sich beides
vorstellen, beides imaginieren, den Schädel in der leben-
den Hand und die Späße des vergangenen Yorick, an die
sich Hamlet erinnert. Die Erzählung, im Gegensatz zum
Theater, beruht ganz und gar auf der Sprache, und alles,
was der Erzähler zu geben hat, erreicht mich auf der
gleichen Ebene: nämlich als Imagination. Wesentlich anders wirkt das Theater: Der Schädel, der nur noch ein
Ding ist, das Grab, der Spaten, all dies habe ich bereits
durch sinnliche Wahrnehmung, unwillkürlich, vorder-
gründig, unausweichlich in jedem Augenblick, während
meine Imagination, ganz aufgespart für die Worte des
Hamlet, nur noch das entschwundene Leben aufzurufen
hat und dies um so deutlicher vermag, als ich sie für anderes nicht brauche. Das Entschwundene und das Vorhandene, das Einst und das Jetzt: verteilt auf Imagination und auf Wahrnehmung ... Der theatralische Dichter bespielt mich also auf zwei Antennen, und es ist evi-
dent, daß das eine, ein Schädel, und das andere, die
Späße eines Spaßmachers, für sich allein wenig bedeuten;
die ganze Aussage dieser Szene, alles, was uns daran bewegt, liegt im Bezug dieser beiden Bilder zueinander, nur
darin.

TaI, S. 260

Ein Schauspieler, kaum hat er sich abgeschminkt, wartet er auf unser Lob — lobe ihn auf jeden Fall, spare deine Kritik auf übermorgen! Im Augenblick, wo einer von der Bühne kommt, ist sie nur grausam. Der Schauspieler, anders als andere Künstler, ist eins mit seinem Werk, und zwar auf eine leibliche Weise. Was ihm mißlingt, kann er nicht herausreißen, verknüllen und wegwerfen; es klebt an ihm, gelungen oder mißlungen. Nichts ist begreiflicher als seine Gier, sofort zu hören, wie er heute abend gewesen sei. Er kann sein Werk nicht selber sehen. Das ist etwas Ungeheuerliches. Angewiesen auf uns, die es gesehen haben, trifft ihn unser Schweigen wie eine Vernichtung. Der Schauspieler hat etwas von einem Maler, der blind wäre. Noch wenn es gelungen ist und wir sitzen nach einer Vorstellung zusammen, wirklich begeistert, spüre ich stets eine Melancholie; der Rausch verrauscht, und sein Werk ist nur in unser Gedächtnis geschrieben. Das ist ein weiches Wachs; er selber kann es schon in einem Monat wieder verwischen. Einiges bleibt haften über Jahre, über Jahrzehnte; aber wo? Er kann es nicht aus einer Mappe nehmen oder in einer Galerie wiederfinden. Seine Galerie sind die Leute; seine rührende Freude, alte Bekannte wiederzusehen, Kollegen oder Zuschauer, zu hören, wo die Sowieso ist und was der Dingsda macht, zu erzählen, wie es in dem Theater zuging, wo er zum erstenmal seinen Mortimer gespielt hat, zu vernehmen, daß eine frühere Partnerin sich zum fünftenmal verheiratet hat — all diese Gespräche, die wir als Klatsch empfinden, die auf die Dauer so langweilig sind — es ist alles so begreiflich, wenn man es so begreift: er sucht die Spuren seines Werkes, Leute, die es gesehen haben ...   TaI, S. 320 f

Über Kurt Hirschfeld

Ich spreche von einem Menschen, von einem Gesicht, das nur noch in der Erinnerung verschiedener Menschen ist, und es gibt keine Einigung, wer einer war. Er war, so schien es mir, je näher ich ihn kannte, ein Unsicherer, leidenschaftlich im Urteil und streitbar und entschieden im Handeln und doch ein Verschwiegen-Unsicherer, das Gegenteil eines sicheren Pharisäers, sicher aber in seinen Zuneigungen und zäh im Vertrauen und wie so mancher, der einmal und für immer aus seiner Herkunft verstoßen worden ist, der persönlichen Treue sehr bedürftig. Er rechnete nicht mit ihr, nicht wehleidig. Er war nur selbst ein Meister der Treue, einer, der noch nach Monaten der Vernachlässigung seinerseits verläßlich war. Daran gewöhnte man sich, als wäre das nicht ein Wunder. Es geht ja unter Menschen nicht ohne Verrat; nun habe ich nie, auch nicht in Hitzigkeiten, gehört, daß er jemand verraten hätte, als dessen Freund er sich bekannte, und auch nicht einmal durch Schweigen. Das machte ihn nicht eben gesellschaftlich, wie sehr er Geselligkeit brauchte. Seine Art von Sympathie war ungewöhnlich, nicht blind und nicht hörig, aber unbedingt, nicht durch ein Versehen zu verscherzen. Wer einmal sein Freund war, als solcher von ihm erwählt, war nicht Vasall: man mußte nicht um der Freundschaft willen bewundern. Man konnte sich nur auf etwas verlassen, etwas Unausgesprochenes. Ich spreche persönlich und zugleich von dem, was das Zürcher Schauspielhaus zusammengehalten hat, als die Schweiz nicht mehr ein Unterstand für Flüchtlinge war und als der Sog nach außen, die Anziehungskraft größerer Städte, dieses Haus zu bedrohen begann. Das war vor 15 Jahren. Was da zusammenhielt und gegen die Ungunst der veränderten Situation erreichte, daß Zürich

wieder und wieder die ersten Schauspieler und Regisseure deutscher Sprache und also Theater zu sehen be-
kam, das das Geistesleben einer Stadt prägt, das war
nicht so sehr unsere Stadt, das war ein Mann: Hirschfeld.
Eine Epoche ist zu Ende, sagte ich. Eine neue ist zu bestehen. Was uns im Augenblick bleibt, ist ein Maß. Und
das ist eine Art von Denkmal, das wir nicht umgehen
können; es steht hier, wenn die Blumen verwelkt sind,
im Arbeitslicht.   RA 1964/2

Man kann mit den Menschen vom Theater nur auskommen, wenn man mit ihnen arbeitet und solange man mit
ihnen arbeitet, dann ist man ein Herz und eine Seele, ja,
dann gibt es Augenblicke von Urchristentum, wie es nur
hinter den Kulissen anzutreffen ist etwa vor einer Premiere, man wähnt sich eine Gemeinschaft auf Ewigkeit,
jeder ist dann so bloß. Es hätte gar keiner Tuberkulose
gebraucht, um von diesen so herzlichen Menschen in
einem Vierteljahr vergessen zu sein; es genügt, daß man
einige Zeit nicht tanzt, eines schönen Morgens vielleicht
mit anderen Interessen käme, mit Kirchenvätern beispielsweise oder mit absoluter Lichtgeschwindigkeit, es
genügt, ihre nächste Premiere nicht für das Ereignis unserer Menschheit zu halten, und schon steht man abseits,
oh, man würde nicht aus ihrer Garderobe geworfen, gewiß nicht, denn es sind fast lauter nette Menschen, wenn
sie nicht gerade die Nerven verlieren, aber Menschen
ohne Interesse für Menschen, die nicht vom Theater reden, man könnte ihnen melden, man habe keine Lunge
mehr, überhaupt keine, und sie würden scheinbar zuhören, stumm geschäftig, indem sie in ihren Spiegel

schauen und sich die Schminke aus den Augenhöhlen
wischen, und zum Schluß, indem sie die Schminkwatte
wegwerfen, würden sie fragen: Bist du heute in der Vorstellung gewesen? Sie sind Komödianten, wollen nichts
anderes sein, Darsteller, können nichts anderes sein
dank ihrer Begabung. S, S. 170 f

Die gesellschaftliche Geringschätzung des Schauspielers
sogar in Jahrhunderten größten Theaters: mindestens
teilweise begründet in einem instinktiven Unbehagen
gegenüber dem Widermännlichen jeder Schauspielerei,
verschärft durch den Umstand, daß die Männer auch noch
die weiblichen Rollen haben übernehmen müssen — zu
untersuchen wäre, wieweit es der Schauspielerin zu verdanken ist, daß jener Bann zwar nicht verschwunden,
aber sehr vermindert ist. Daß ein Unterschied empfunden wird zwischen Schauspieler und Schauspielerin,
zeigt sich an jedem Briefträger, jeder Zimmervermiete-
rin, jedem Gaseinzüger, der Schauspieler bleibt ihnen
doch zweitrangig, bevor er sie durch längere Bekannt-
schaft vielleicht eines andern belehrt oder durch Ruhm,
durch ein Bild in der Zeitung von vornherein bezwingt.
Ein Schauspieler, *aber* ein feiner Kerl! Eine Schauspielerin, selbst wenn sie ein Luder sein sollte, ist ihnen selbstverständlicher. TaI, S. 321 f

Eifersucht in der Liebe

Schön so! Ich liebe das Leben mit allem wuchernden Zwie-
spalt! Daß ihre Liebe vor einigen Wochen noch ehrlich und
herrlich war, wer zweifelt daran? Hingabe und Geschenk,

Traum, Glück. Daß man sich nahe gestanden, wie zwei
Menschen sich näher nicht sein können, und dann, nach
einem Fegefeuer verlogener Leidenschaften, Eifersüchte,
Rachsüchte: daß es weg ist, einfach weg, daß sie einen
anderen Mann empfängt und ihn mit ihren gleichen Zärt-
lichkeiten umgibt, deren Einfall ihn entzücken mag —
mein Gott, und daß in alldem eine tiefe, kühle, weltinnige
Wonne liegt, eine Demut, ein Bekenntnis, ein Annehmen,
ja, daß all dies ehrlich und von Herzen voll sein kann,
herrlich, so grausam wie herrlich! Es gibt kein anderes
Vorwärts, wir müssen hindurch. Durch uns, durch die
Welt, durch alle Seligkeiten und Schmerzen des Lebens!
Wo der Geiz, das Besserwissen aufhört, beginnt die
Ahnung.   JÜRG REINHART   DS, S. 127

Daß es anders nicht geht, daß der Mann immer ein Welt-
rätsel daraus macht, wenn er einer Frau nicht mehr genügt!...   DS, S. 121

Wenn der Unselige, der mich gestern besucht hat, ein
Mann, dessen Geliebte es mit einem andern versucht, wenn
er ganz sicher sein könnte, daß die Gespräche eines andern,
die Küsse eines andern, die zärtlichen Einfälle eines
andern, die Umarmung eines andern niemals an die seinen heranreichen, wäre er nicht etwas gelassener?
Eifersucht als Angst vor dem Vergleich.
Was hätte ich sagen können? Eine Trauer kann man teilen, eine Eifersucht nicht. Ich höre zu und denke: Was
willst du eigentlich? Du erhebst Anspruch auf einen
Sieg ohne Wettstreit, verzweifelt, daß es überhaupt zum
Wettstreit kommt. Du redest von Treue, weißt aber

genau, daß du nicht ihre Treue willst, sondern ihre Liebe. Du redest von Betrug, und dabei schreibt sie ganz offen, ganz ehrlich, daß sie mit Ihm verreist ist — Was, mein Freund, willst du eigentlich?

Man will geliebt sein.

Nur in der Eifersucht vergessen wir zuweilen, daß Liebe nicht zu fordern ist, daß auch unsere eigene Liebe oder was wir so nennen, aufhört, ernsthaft zu sein, sobald wir daraus einen Anspruch ableiten . . .   TaI, S. 421 f

»Ich mag die Neger«, sage ich, »aber ich vertrage keine verheirateten Männer, auch wenn es Neger sind. Immer mit Rücksicht, das liegt mir nicht!«   ANATOL L. STILLER

S, S. 66

Ferner weiß jeder, daß er für die Frau, der er in Eifersucht gegenübertritt, alles andere als gewinnend ist. Seine Eifersucht, offensichtliche Angst vor dem Vergleich, ist für sie nicht selten die erste Ermunterung, sich umzusehen, Vergleiche anzustellen. Sie wittert plötzliche seine Schwäche. Sie blüht geradezu unter seiner Eifersucht — mit Recht findet er sie schöner als je! — blüht in neuer unwillkürlicher Hoffnung, daß ihre Liebe (denn warum hätte er sonst solche Angst?) offenbar noch ganz andere Erfüllungen erfahren könnte . . .

Männer, die ihrer Kraft und Herrlichkeit sehr sicher sind, wirklich sicher, und Weiber, die ihres Zaubers sicher sind, so sicher, daß sie beispielsweise nicht jedem Erfolg ihres Zaubers nachgeben müssen, sieht man selten im Zustand der Eifersucht. Dabei fehlt es auch ihnen nicht an Anlaß! Aber sie haben keinen Grund zur Angst, und zwar ken-

nen sie den Verlust, die brennende Wunde, die keiner
Liebe erspart bleibt, doch kommen sie sich darum nicht
lächerlich vor, nicht verhöhnt, nicht minderwertig. Sie
tragen es, nehmen es nicht als Niederlage, sowenig wie
das Sterben eine Niederlage ist, machen kein Geheul über
Untreue, und die Frau, der sie eines Tages nicht mehr
genügen, beschimpfen sie nicht als Hure, was sowieso
meistens ein falsches, unpassendes Wort ist —   TaI, S. 422 f

Der Raub der Sabinerinnen — welcher gesunde und einigermaßen aufrichtige Mensch, Mann oder Weib, ist nicht
auf seiten der Räuber? Umsonst besinne ich mich auf ein
Kunstwerk, das uns die armen Sabiner zeigte, um uns zu
erschüttern.
Und die Tugend?
Sabiner, die sich auf die Tugend ihrer Sabinerinnen verlassen müssen, tun uns leid, selbst wenn die Tugend hält.
Sie sind Inhaber ihrer Weiber, gesetzlich geschützt, von
Staat und Kirche versichert gegen jeden Vergleich, und
damit sollen sie nun glücklich sein: bis die Räuber über
den Berg kommen, bis die Welt es hören wird, wie die
Sabinerinnen jauchzen, wenn ihre Tugend endlich nichts
dagegen vermag, daß sie in den Armen der Stärkeren
liegen.
Oh, die Angst vor diesem Jauchzen!   TaI, S. 423

Öffentlichkeit als Partner

Seinen Leser, glaube ich, muß man sich denken; das ist
schon ein Teil unsrer Arbeit, die Erfindung eines Lesers,

eines sympathischen, nicht unkritischen, eines nicht allzu überlegenen, auch nicht unterlegenen, eines Partners, der sich freut, daß wir an ähnlichen Fragen herumwürgen, und nicht ärgerlich wird, wenn unsere Ansichten sich kreuzen, nicht herablassend, wenn er es besser weiß, nicht blöde, nicht unernst und nicht unspielerisch, vor allem nicht rachsüchtig. Unser Leser: ein Geschöpf deiner Vorstellung, nicht unwirklicher und nicht wirklicher als die Personen einer Erzählung, eines Schauspiels; der Leser als die ungeschriebene Rolle. Ungeschrieben, aber nicht unbestimmt, ausgespart durch das Geschriebene; ob es die Rolle eines Schulbuben ist, der belehrt wird, oder die Rolle eines Richters, der es genießt, wenn er uns eines Widerspruchs überführen kann, die Rolle eines Jüngers, der uns anzuwundern hat, die Rolle eines Götzen, dessen Gunst wir erschmeicheln, oder die Rolle einfach eines Partners, eines Mitarbeiters, der mit uns sucht und fragt und uns ergänzt, eines menschlichen Gefährten, es liegt an mir, dem Schreiber, und von niemand kann ich verlangen, daß er die Rolle, die ausgesparte, übernimmt; ich kann mich nur freuen, wenn einer es tut oder eine — irgendwo in der Sonne oder unter einer Lampe, in einer Eisenbahn, in einem Kaffeehaus, in einem Wartesaal des Lebens — und besonders, wenn jemand es mit Begabung tut.   Tal. S. 182

Die Erkenntnis-Vorstöße, die unser Jahrhundert bewegen, verdanken wir nicht der Literatur. Wer von der Literatur erwartet, daß sie das Weltbild bestimme, wird also von einem gewissen Minderwertigkeitsgefühl nicht verschont bleiben. Zwar spiegelt die Literatur, die diesen Namen verdient, die Verwandlungen unseres Bewußtseins, aber sie spiegelt nur; die Anstöße zur Verwandlung kommen

anderswoher. Erübrigt sich somit Literatur? Zuweilen
habe ich den Eindruck, daß es dieses Minderwertigkeitsgefühl ist, was zum sogenannten Engagement nötigt. Keiner von uns läßt sich sagen, er wohne im Elfenbeinturm.
Die Frage, ob Literatur sich erübrigt, nötigt auch Leute,
die im Grund kein politisches Temperament haben, zum
Bekenntnis, daß die Literatur eine gesellschaftliche Funktion haben müsse. Das ist unsere Selbstrechtfertigung,
auch wenn die Gesellschaft gar nicht überzeugt ist, daß
sie unser Engagement braucht. Manche Schriftsteller halten die Literatur gerade in politischen Dingen für untaug-
lich und bevorzugen die direkte Aktion; ich denke: zu
Recht. Das geht zugunsten der Politik und zugunsten der
Literatur. Die Domäne der Literatur? Was die Soziologie
nicht erfaßt, was die Biologie nicht erfaßt: das Einzel-
wesen, das Ich, nicht mein Ich, aber ein Ich, die Person,
die die Welt erfährt als Ich, die stirbt als Ich, die Person
in allen ihren biologischen und gesellschaftlichen Bedingt-
heiten; also die Darstellung der Person, die in der Statistik enthalten ist, aber in der Statistik nicht zur Sprache
kommt und im Hinblick aufs Ganze irrelevant ist, aber
leben muß mit dem Bewußtsein, daß sie irrelevant ist —
das ist es, was wenigstens mich interessiert, was mir dar-
stellenswert erscheint: alles, was Menschen erfahren, Geschlecht, Technik, Politik als Realität und als Utopie, aber
im Gegensatz zur Wissenschaft bezogen auf das Ich, das
erfährt.   D, S. 33 f

Engagement ... Warum hat die deutsche Literatur dafür
nur ein Fremdwort? — Ich habe auch kein anderes, hingegen habe ich Zweifel an der Wirksamkeit eines direkt-
politischen Engagements der Literatur. Das bedeutet nicht,

daß ich als Staatsbürger (über die Staatszugehörigkeit hinaus) ohne politisches Engagement bin. Dieses äußert sich in unsrer Publizistik, und was mehr wäre: in der direkt-politischen Aktivität. Und zweitens bedeutet es nicht, daß Literatur überhaupt ohne Wirkung auf die Gesellschaft sei. Nur ist sie schwierig zu erfassen. Es gibt keine Literatur, die nicht engagiert ist. Wenn wir heute von Engagement sprechen, meinen wir allerdings immer das direkt-politische Engagement: Literatur als Propaganda für eine Ideologie. Es ist aber schon ein Engagement, wenn Literatur die gebräuchliche Sprache auf ihren Wirklichkeitsgehalt hin testet; ein Engagement an die Realität, somit Kritik an der Ideologie. Wir kommen ohne Ideologie nicht aus, aber sie braucht immerzu eine Kontrolle. Diese leistet die Literatur — auch dann, wenn sie nicht mit einem direkt-politischen Engagement auftritt, gerade dann.

D, S. 38 f

Die immer wieder einmal auftauchende Frage, ob denn der Leser jemals etwas anderes zu lesen vermöge als sich selbst, erübrigt sich: Schreiben ist nicht Kommunikation mit Lesern, auch nicht Kommunikation mit sich selbst, sondern Kommunikation mit dem Unaussprechlichen. Je genauer man sich auszusprechen vermöchte, um so reiner erschiene das Unaussprechliche, das heißt die Wirklichkeit, die den Schreiber bedrängt und bewegt. Wir haben die Sprache, um stumm zu werden. Wer schweigt, ist nicht stumm. Wer schweigt, hat nicht einmal eine Ahnung, wer er nicht ist.

S, S. 436

Nochmals Engagement:
Literatur im Dienst der Gesellschaft — der jeweils herrschenden, indem die Literatur sich ausschweigt oder durch
Reform-Postulate sie attestiert — oder der geforderten,
der Gesellschaft ohne Herrschaft von Menschen über Menschen, indem die Literatur gläubig wird und attestiert,
was nicht zu testen ist — es gibt alle Arten von Dienst-
leistung. Was wollen wir unter Engagement verstehen:
Literatur als Sprachrohr für Ideologie oder Literatur als
Recherche durch Sprache? Im letzteren Fall, gleichviel in
welcher Gesellschaft, ist sie subversiv. Ist das nicht ihr
eigentliches Engagement? Wenn Literatur sich darauf ein-
läßt, daß sie ihre Existenz rechtfertigen muß, hat sie schon
verspielt; ihr Beitrag an die Gesellschaft ist die Irritation,
daß es sie trotzdem gibt.   D, S. 41 f

... Öffentlichkeit als Realität, das ist ja nur eine Art
von Partnerschaft, Öffentlichkeit als Fiktion vielleicht die
wichtigere. Der erste schöpferische Akt, den der Schriftsteller zu leisten hat, ist die Erfindung seines Lesers. Viele
Bücher mißraten uns nur schon darum, weil sie ihren Leser
nicht erfinden, sondern einen Allerweltsleser ansprechen,
den es gibt, oder wir erfinden einen Leser, der uns gar
nicht bekommt: er macht uns böse oder rechthaberisch oder
hochmütig von vornherein, jedenfalls unfrei, er zwingt
uns, beispielsweise, zur Gescheitelei, weil er, obschon von
uns erfunden, uns imponiert, so daß auch wir, statt uns
auszudrücken, vor allem imponieren wollen. Dies, und
ähnliches in vielen Variationen, ergibt keine Partnerschaft.
Was der Schriftsteller sich unter seinem Leser vorstellt,
wieviel Treue er aufbringt zu diesem Du, das nie als leib-
hafte Person auftritt und uns nie einen Brief schreibt,

wieviel an Partnerschaft ich mir zumute und aushalte,
wieviel an lebendiger Gegenseitigkeit, die mich widerlegt
von Satz zu Satz und bindet, so daß ich mich immer wieder befreien muß, und die mich nach jeder Befreiung wieder in Frage stellt und mich eben dadurch zur Reife treibt,
soweit sie mir je möglich ist, dies ist für den Schriftsteller
eine Frage auf Gedeih und Verderb, eine Ehe-Frage mehr
als eine Talent-Frage. Man sei, so sagte ich zu Anfang,
immer bestürzt beim Anblick seines Publikums, wie ehren-
wert es auch sein mag, bestürzt in Scham: Euch habe ich
mich nicht preisgeben wollen. Wem denn? Ich habe es
überhaupt nicht gewollt, sondern ich habe es gekonnt —
getragen von einem Partner, der mich durchschaut, so daß
ich ihm alles zu sagen habe, soweit meine Sprache je reicht.
Er ist kein Untersuchungsrichter und keine Verliebte, sondern eine Instanz, eine unsichtbare, aktiv spätestens im
Augenblick, wo eine Sache leider schon gedruckt ist, in
glücklichen Fällen schon früher. Selbst nach dem Besuch
einer solchen Buchmesse erholen wir uns zu dieser merk-
würdigen Ehrfurcht vor dem gedruckten Wort. Während
die Gewißheit, daß unsere Sache auf einer Bühne gespielt
wird, zwar unsere Neugierde, wieweit diese Sache spielbar
sein wird, alarmiert und Kummer machen kann, aber uns
hinter allem Eifer noch lächeln läßt, weil eine Aufführung
etwas Momentanes und Lokales bleibt, nie etwas End-
gültiges, und während bei dem Gedanken, daß man von
drei Millionen Rundfunkhörern vernommen wird, erfah-
rungsgemäß die meisten Schriftsteller kaum Scham noch
Schreck empfinden, werden wir angesichts des Buchdrucks,
und wenn es sich nur um 500 Exemplare handelt, ernst.
Man erschrickt, man schämt sich ... Vor wem? Die Alten
nannten es Die Nachwelt. Wir Heutigen sind, über die
persönliche Bescheidenheit hinaus, nicht so getrost, daß es

überhaupt eine Nachwelt gibt. Wir nennen es einfach
Öffentlichkeit, was da als fiktive Instanz vor uns steht,
strenger und liebevoller zugleich als Freund oder Feind,
unbestechlich auch im Falle sogenannten Erfolges, den
diese Instanz sowenig verrechnet wie Mißerfolg. Sie ist
in uns, diese Instanz, nicht immer wach, aber spätestens
erwacht angesichts von Publikum. Öffentlichkeit ist Einsamkeit außen! — in diesem Sinn: Ich habe meinen Partner, den erfundenen, sonst niemand. Und dies zu erfahren, als Schock von Zeit zu Zeit, ist schon Anfang der Befreiung, Befreiung zum Anfang: zum Spieltrieb, zur
Machtlust, zum Schreiben, um zu sein.   RA 1958/2

Öffentlichkeit ist die Einsamkeit außen, schrieb ein Dichter, den ich liebe. Ist das, wenn auch von der Enttäuschung
her, ein Eingeständnis, daß der Mensch, der veröffentlicht,
etwas erwartet, was ihn aus der Einsamkeit befreien
könnte, eine Partnerschaft also? Solche Erwartung muß
nicht immer bewußt sein. Wie kommt es, daß der Schriftsteller, indem er schreibt, Schamhaftigkeit überwindet und
Regungen preisgibt, die er unter vier Augen noch nie ausgesprochen hat? Man ist immer bestürzt, wenn man Publikum sieht, und möchte vor Scham versinken. Wie kommen wir dazu, uns derart preiszugeben, und was stellt
sich der Mensch, der solches tut, unter Öffentlichkeit vor?
Sicherlich nicht eine öffentliche Versammlung, und wenn
es die ehrenwerteste wäre; sicherlich nicht das Publikum,
das hoffentlich ins Theater strömt, nicht einmal den stillen Einzelmenschen, der als Käufer aus dem Buchladen
geht. Was haben denn wir, das reale Publikum und ich,
miteinander zu schaffen? Wie einer, dessen Steckbrief an

öffentlichen Mauern klebt, versucht man an den Leuten vorbeizukommen oder tarnt sich, einmal gestellt, mit Bescheidenheiten, man verwirrt seine liebenswürdigen Verfolger durch unverblümte Geringschätzung des eignen Werkes gerade dort, wo es dem Verfolger oder der Verfolgerin so sehr am Herzen liegt, und redet sofort über Ionesco. Es ist da, in der Tat und jenseits der Mode, etwas Absurdes, und die Frage des Lesers, die immer wieder peinliche Frage, warum der Schriftsteller eigentlich schreibt, stellt sich uns selbst — nie so sehr wie im Anblick des Publikums.   RA 1958/2

Die Biografie ist auch nicht mehr das was sie mal war

Wiederholung! Dabei weiß ich: alles hängt davon ab, ob es gelingt, sein Leben nicht außerhalb der Wiederholung zu erwarten, sondern die Wiederholung, die ausweglose, aus freiem Willen (trotz Zwang) zu seinem Leben zu machen, indem man anerkennt: Das bin ich! . . . Doch immer wieder (auch darin die Wiederholung) genügt ein Wort, eine Miene, die mich erschreckt, eine Landschaft, die mich erinnert, und alles in mir ist Flucht, Flucht ohne Hoffnung, irgendwohin zu kommen, lediglich aus Angst vor Wiederholung —   S, S. 89 f

Der Zufall ganz allgemein: was uns zufällt ohne unsere Voraussicht, ohne unseren bewußten Willen. Schon der Zufall, wie zwei Menschen sich kennenlernen, wird oft als Fügung empfunden; dabei, man weiß es, kann dieser

Zufall ganz lächerlich sein: ein Mann hat seinen Hut verwechselt, geht in die Garderobe zurück und obendrein,
infolge seiner kleinen Verwirrung, tritt er auch noch einer
jungen Dame auf die Füße, was beiden leid tut, so leid,
daß sie miteinander ins Gespräch kommen, und die Folge
ist eine Ehe mit drei oder fünf Kindern. Eines Tages denkt
jedes von ihnen: Was wäre aus meinem Leben geworden
ohne jene Verwechslung der Hüte?

Der Fall ist vielleicht für die meisten, die sonst nichts
glauben können, die einzige Art von Wunder, dem sie sich
unterwerfen. Auch wer ein Tagebuch schreibt, glaubt er
nicht an den Zufall, der ihm die Fragen stellt, die Bilder
liefert, und jeder Mensch, der im Gespräch erzählt, was
ihm über den Weg gekommen ist, glaubt er im Grunde
nicht, daß es in einem Zusammenhang stehe, was immer
ihm begegnet? Dabei wäre es kaum nötig, daß wir, um
die Macht des Zufalls zu deuten und dadurch erträglich
zu machen, schon den lieben Gott bemühen; es genügte
die Vorstellung, daß immer und überall, wo wir leben,
alles vorhanden ist: für mich aber, wo immer ich gehe
und stehe, ist es nicht das vorhandene Alles, was mein
Verhalten bestimmt, sondern das Mögliche, jener Teil des
Vorhandenen, den ich sehen und hören kann. An allem
übrigen, und wenn es noch so vorhanden ist, leben wir
vorbei. Wir haben keine Antenne dafür; jedenfalls jetzt
nicht; vielleicht später. Das Verblüffende, das Erregende
jedes Zufalls besteht darin, daß wir unser eigenes Gesicht
erkennen; der Zufall zeigt mir, wofür ich zur Zeit ein
Auge habe, und ich höre, wofür ich eine Antenne habe.
Ohne dieses einfache Vertrauen, daß uns nichts erreicht,
was uns nichts angeht, und daß uns nichts verwandeln
kann, wenn wir uns nicht verwandelt haben, wie könnte
man über die Straße gehen, ohne in den Irrsinn zu wan-

deln? Natürlich läßt sich denken, daß wir unser mögliches Gesicht, unser mögliches Gehör nicht immer offen haben, will sagen, daß es noch manche Zufälle gäbe, die wir übersehen und überhören, obschon sie zu uns gehören; aber wir erleben keine, die nicht zu uns gehören. Am Ende ist es immer das Fälligste, was uns zufällt.   TaI, S. 463 f

Vom Sinn eines Tagebuches:
Wir leben auf einem laufenden Band, und es gibt keine Hoffnung, daß wir uns selber nachholen und einen Augenblick unseres Lebens verbessern können. Wir sind das Damals, auch wenn wir es verwerfen, nicht minder als das Heute —
Die Zeit verwandelt uns nicht.
Sie entfaltet uns nur.
Indem man es nicht verschweigt, sondern aufschreibt, bekennt man sich zu seinem Denken, das bestenfalls für den Augenblick und für den Standort stimmt, da es sich erzeugt. Man rechnet nicht mit der Hoffnung, daß man übermorgen, wenn man das Gegenteil denkt, klüger sei. Man ist, was man ist. Man hält die Feder hin, wie eine Nadel in der Erdbebenwarte, und eigentlich sind nicht wir es, die schreiben; sondern wir werden geschrieben. Schreiben heißt: sich selber lesen. Was selten ein reines Vergnügen ist; man erschrickt auf Schritt und Tritt, man hält sich für einen fröhlichen Gesellen, und wenn man sich zufällig in einer Fensterscheibe sieht, erkennt man, daß man ein Griesgram ist. Und ein Moralist, wenn man sich liest. Es läßt sich nichts machen dagegen. Wir können nur, indem wir den Zickzack unsrer jeweiligen Gedanken bezeugen und sichtbar machen, unser Wesen kennenler-

nen, seine Wirrnis oder seine heimliche Einheit, sein Un-
entrinnbares, seine Wahrheit, die wir unmittelbar nicht
aussagen können, nicht von einem einzelnen Augenblick
aus —.

Die Zeit?

Sie wäre damit nur ein Zaubermittel, das unser Wesen
auseinanderzieht und sichtbar macht, indem sie das Leben,
das eine Allgegenwart alles Möglichen ist, in ein Nacheinander zerlegt; allein dadurch erscheint es als Verwandlung, und darum drängt es uns immer wieder zur Ver-
mutung, daß die Zeit, das Nacheinander, nicht wesentlich
ist, sondern scheinbar, ein Hilfsmittel unsrer Vorstellung,
eine Abwicklung, die uns nacheinander zeigt, was eigentlich ein Ineinander ist, ein Zugleich, das wir allerdings als
solches nicht wahrnehmen können, so wenig wie die Farben des Lichtes, wenn sein Strahl nicht gebrochen und
zerlegt ist.

Unser Bewußtsein als das brechende Prisma, das unser
Leben in ein Nacheinander zerlegt, und der Traum als die
andere Linse, die es wieder in sein Urganzes sammelt; der
Traum und die Dichtung, die ihm in diesem Sinne nachzu-
kommen sucht —   TaI, S. 21 f

Erfahrung ist nicht ein Resultat aus Vorkommnissen,
sondern ein Einfall, das heißt, Geschichten sind nie Ursache einer Erfahrung, sondern deren Abbildung. Es gibt
keine wahren Geschichten, dennoch ein Verlangen nach
Geschichten, weil Erfahrung, die sich nicht abbildet,
kaum auszuhalten ist. Das Übliche ist, daß man sich die
Geschichten zu seiner Erfahrung in der Vergangenheit
sucht, also in Erinnerungen. Trotz aller Fakten, die dabei
als Material verwendet werden, bleibt es Fiktion. Erinne-

rung ist immer ein Arrangement von jetzt aus, Illustration unsrer jetzigen Erfahrung, und was sich, kraft des Imperfekts, als die Ursache unsrer Erfahrung gibt, ist nicht mehr und nicht weniger als deren Ausdruck. Um diesen Ausdruck geht es. Sobald wir das Imperfekt aufgeben, zeigt sich der fiktive Charakter aller Geschichten, die erzählbar sind, um so reiner, und dabei ist mir wohler. Nicht aus Wahrhaftigkeitsfanatismus; aber der Mensch wird erzählbarer. Ein großer Teil dessen, was wir erleben, spielt sich in unsrer Fiktion ab, das heißt, daß das wenige, was faktisch wird, nennen wir's die Biografie, die immer etwas Zufälliges bleibt, zwar nicht irrelevant ist, aber höchst fragmentarisch, verständlich nur als Ausläufer einer fiktiven Existenz. Für diese Ausläufer, gewiß, sind wir juristisch haftbar; aber niemand wird glauben, ein juristisches Urteil erfasse die Person. Also was ist die Person? Geben Sie jemand die Chance zu fabulieren, zu erzählen, was er sich vorstellen kann, seine Erfindungen erscheinen vorerst beliebig, ihre Mannigfaltigkeit unabsehbar; je länger wir ihm zuhören, um so erkennbarer wird das Erlebnismuster, das er umschreibt und zwar unbewußt, denn er selbst kennt es nicht, bevor er fabuliert — RA 1965/1

»Herr Doktor«, sage ich, »es hängt alles davon ab, was wir unter Leben verstehen! Ein wirkliches Leben, ein Leben, das sich in etwas Lebendigem ablagert, nicht bloß in einem vergilbten Album, weiß Gott, es braucht ja nicht großartig zu sein, nicht historisch, nicht unvergeßlich. Sie verstehen mich, Herr Doktor, ein wirkliches Leben, und das kann das Leben einer sehr einfachen Mutter sein oder das Leben eines großen Denkers, eines Gründers, dem es

sich in Weltgeschichte ablagert, aber das muß nicht sein,
meine ich, es kommt nicht auf unsere Bedeutung an. Daß
ein Leben ein wirkliches Leben gewesen ist, es ist schwer
zu sagen, worauf es ankommt. Ich nenne es Wirklichkeit,
doch was heißt das! Sie können auch sagen: daß einer mit
sich selbst identisch wird. Andernfalls ist er nie gewesen!
Sehn Sie, Herr Doktor, das meine ich: ein Gewesen-Sein,
und wenn's noch so miserabel war, ja, am Ende kann es
sogar eine bloße Schuld sein, das ist bitter, wenn sich
unser Leben einzig und allein in einer Schuld abgelagert
hat, in einem Mord zum Beispiel, das kommt vor, und es
brauchen keine Aasgeier darüber zu kreisen, Sie haben
recht, Herr Doktor, das alles sind ja nur Umschreibungen.
Sie verstehn mich? Ich rede sehr unklar, wenn ich nicht
zur Entspannung einfach drauflos lüge; Ablagerung ist
auch nur ein Wort, ich weiß, und vielleicht reden wir
überhaupt nur von Dingen, die wir vermissen, nicht begreifen. Gott ist eine Ablagerung! Er ist die Summe wirklichen Lebens, oder wenigstens scheint es mir manchmal so.
Ist das Wort eine Ablagerung? Vielleicht ist das Leben,
das wirkliche, einfach stumm — und hinterläßt auch
keine Bilder, Herr Doktor, überhaupt nichts Totes! . . .«
ANATOL L. STILLER   S, S. 84 f

Glauben Sie, Krolevsky, Sie als Kybernetiker, daß die
Biografie, die ein Individuum nun einmal hat, verbind-
lich ist, Ausdruck einer Zwangsläufigkeit, oder aber: ich
könnte je nach Zufall auch eine ziemlich andere Biografie
haben, und die man eines Tages hat, diese unsere Biografie
mit allen Daten, die einem zum Hals heraus hängen, sie
braucht nicht einmal die wahrscheinlichste zu sein: sie ist
nur eine mögliche, eine von vielen, die ebenso möglich

wären unter denselben gesellschaftlichen und geschichtlichen Bedingungen und mit derselben Anlage der Person. Was also kann, so gesehen, eine Biografie überhaupt besagen? Sie verstehen: ob eine bessere oder schlechtere Biografie, darum geht es nicht. Ich weigere mich nur, daß wir allem, was einmal geschehen ist — weil es geschehen ist, weil es Geschichte geworden ist und somit unwiderruflich — einen Sinn unterstellen, der ihm nicht zukommt. PROF. HANNES KÜRMANN.   BES, S. 49

Beruf: Schriftsteller

Zum Theater

Zu den Begriffen, die ich mit Vorliebe brauche, ohne genauer zu wissen, was sie eigentlich bedeuten, nicht bedeuten müssen, aber bedeuten könnten, gehört auch der Begriff des Theatralischen.

Worin besteht es?

Auf der Bühne steht ein Mensch, ich sehe seine körperliche Gestalt, sein Kostüm, seine Miene, seine Gebärden, auch seine weitere Umgebung, lauter Dinge also, die ich etwa beim Lesen nicht habe, nicht als sinnliche Wahrnehmung. Und dann kommt ein anderes hinzu: Sprache. Ich höre nicht nur Geräusche, wo es bei der sinnlichen Wahrnehmung bleibt, sondern Sprache. Ich höre, was dieser Mensch redet, und das heißt, hinzu kommt noch ein zweites, ein anderes Bild, ein Bild andrer Art. Er sagt: Diese Nacht ist wie ein Dom! Außer jenem augenscheinlichen Bild empfange ich noch ein sprachliches Bild, eines, das ich nicht durch Wahrnehmung, sondern durch Vorstellung gewinne, durch Einbildung, durch Imagination, her-

vorgerufen durch das Wort. Und beides habe ich
gleichzeitig: Wahrnehmung und Imagination. Ihr Zu-
sammenspiel, ihr Bezug zueinander, das Spannungs-
feld, das sich zwischen ihnen ergibt, das ist es, was
man, wie mir scheint, als das Theatralische bezeichnen
könnte.   Ta I, S. 259 f

Was ich jedenfalls meine, ist eine Dramaturgie, die
immer den Eindruck zu erwecken versucht, daß eine
Fabel nur so und nicht anders habe verlaufen können,
das heißt, sie läßt als glaubwürdig nur zu, was im
Sinn der Kausalität zwingend ist; sie will und kann
den Zufall nicht plausibel machen. Das ist aber, was
mich gerade beschäftigt, die Frage nach der Beliebig-
keit jeder Geschichte. Eine Fabel, so meine ich, kann
niemals bedeuten, daß mit den gleichen Figuren in der
gleichen Umwelt nicht auch eine ganz andere Fabel
hätte entstehen können, eine andere Partie als gerade
diese, die Geschichte geworden ist, Biografie oder
Weltgeschichte.   D, S. 8 f

Suche ich nach klassischen Beispielen dafür, daß das Theater einen Effekt hat über den Kunstgenuß hinaus, so
denke ich mit Vorliebe an Hamlet: wie da der Mörder-
König, als die fahrenden Schauspieler ihm sein Verbre-
chen vorspielen, die Kunst nicht aushält, aufspringt, da-
vonstürzt, ein Entlarvter. Ein tröstliches Beispiel für-
wahr, aber Theater im Theater. »Das Schauspiel sei die
Schlinge«, programmiert Hamlet als Intendant, »in die
ihn sein Gewissen bringe.« Nur setzt das voraus, daß der
Mörder ein Gewissen habe; in der Wirklichkeit, bei-

spielsweise im Gallus-Saal zu Frankfurt, ist eine solche Wirkung nicht zu erwarten. Nun meinen wir allerdings, wenn wir dem Theater eine politische Funktion zutrauen, nicht jenen direkten Hamlet-Effekt; es würde uns schon genügen, wenn es dem Zuschauer, Staatsbürger am Feierabend, unterhaltsam die Augen öffnete, so daß er gelegentlich den Mörder-König stürzt, mindestens nicht wiederwählt. Das wiederum setzt voraus, daß Menschen aus Einsicht heraus handeln. Ohne ihn, so hoffte Brecht, säßen die Herrschenden sicherer. Eine bescheidene Hoffnung, eine sehr kühne Hoffnung. Millionen von Zuschauern haben Brecht gesehen und werden ihn wieder und wieder sehen; daß einer dadurch seine politische Denkweise geändert hat oder auch nur einer Prüfung unterzieht, wage ich zu bezweifeln. Ich erinnere mich an nicht allzu ferne Zeiten, als Literarhistoriker, die jetzt über Brecht schreiben, eine Verblendung darin sahen, wenn man diesen Agitator für einen Dichter hielt; heute ist er das Genie, wir wissen es, und hat die durchschlagende Wirkungslosigkeit eines Klassikers. Die Kunst, sofern sie nicht miserabel ist, hat nun einmal etwas Kulinarisches. Guernica, Name einer spanischen Stadt, die als erste bombardiert worden ist, begeistert uns für Picasso. Was bleibt, ist Kunst. Und Franco. Um beim Theater zu bleiben: Gibt es (wenn wir nicht eine Potenz wie Genet dazu rechnen) ein faschistisches Stück von Rang? Ich wüßte keines; aber es gibt Faschismus, wenn auch im Vokabular modernisiert. Was heißt das? Das Theater, fürchte ich, täuscht uns über die ideologische Weltlage. Die Linke ist einfach begabter: auf dem Theater, das nicht die Welt bedeutet. Daher meine Frage, ob wir das Theater nicht überschätzen. RA 1964/1

Wir wissen, daß Dinge geschehen, nur wenn sie möglich sind; daß aber tausend Dinge, die ebenso möglich
sind, nicht geschehen, und alles könnte immer auch
ganz anders verlaufen. Das wissen wir, aber es zeigt
sich nicht, solange auf der Bühne (wie in der Realität) nur ein einziger Verlauf stattfindet. Wo bleiben
die ebenso möglichen Varianten? Jeder Verlauf auf der
Bühne, der eben dadurch, daß er stattfindet, alle andern Verläufe ausschließt, mündet in die Unterstel-
lung eines Sinns, der ihm nicht zukommt; es entsteht
der Eindruck von Zwangsläufigkeit, von Schicksal,
von Fügung. Das Gespielte hat immer einen Hang
zum Sinn, den das Gelebte nicht hat.   D, S. 9

Je näher wir der Gegenwart kommen, je mehr wir die
vorhandene Welt kennen, desto deutlicher wird uns, wie
unabbildbar sie ist, die komplexe Realität; ein Stück,
selbst ein großes, ist immer nur ein Stück: eine Engfüh-
rung, eben dadurch eine Erlösung für Stunden. Wie immer das Theater sich gibt, ist es Kunst: Spiel als Antwort
auf die Unabbildbarkeit der Welt. Was abbildbar wird,
ist Poesie. Auch Brecht zeigt nicht die vorhandene Welt.
Zwar tut sein Theater, als zeige es, und Brecht hat immer
neue Mittel gefunden, um zu zeigen, daß es zeigt. Aber
außer der Gebärde des Zeigens: was wird gezeigt? Sehr
viel, aber nicht die vorhandene Welt, sondern Modelle
der brecht-marxistischen These, die Wünschbarkeit einer
anderen und nichtvorhandenen Welt: Poesie. Es ist kein
Zufall, daß seine Stücke, ausgenommen die fragmentari-
schen Szenen von *Furcht und Elend im Dritten Reich,*
nicht im heutigen Deutschland spielen, sondern in China,
im Kaukasus, in Chicago, im Dreißigjährigen Krieg, im

Italien des Galilei; keines in Ost-Deutschland. Warum
nicht? Shakespeare tat dasselbe; seine Stücke spielen im
antiken Rom oder im fernen Dänemark oder in Illyrien,
und wenn in England, dann in der Historie. Wegen der
Zensur? Das mag hinzukommen, aber es ist nicht der
einzige und nicht der eigentliche Grund für die Ansied-
lung jenseits der jeweils vorhandenen Welt. Wer selber
schreibt, erfährt den Grund sehr bald; man muß verändern, um darstellen zu können, und was sich darstellen
läßt, ist immer schon Utopie. »Sie werden sich nicht ver-
wundern«, schreibt Brecht in jener Antwort, »von mir zu
hören, daß die Frage der Beschreibbarkeit der Welt eine
gesellschaftliche Frage ist«, und wir wissen ja, was
Brecht damit sagen möchte; nur läßt sich das auch umgekehrt lesen, nämlich so: daß das politische Credo, das
Veränderung der Welt fordert, sekundär ist, Auslegung
des darstellerischen Problems. Selbst wenn ein Stückeschreiber sich politisch nicht engagiert, nicht meint, daß
das Theater zur Veränderung der Gesellschaft beitrage,
selbst dann also, wenn wir die Frage der Beschreibbarkeit der Welt nicht zur gesellschaftlichen Frage ummün-
zen, gilt, daß wir auf die Unabbildbarkeit der vorhandenen Welt nur mit Utopie antworten können, daß jede
Szene, indem sie spielbar ist, über die vorhandene Welt
hinausgeht und im glücklichen Fall abbildet, was man
eine Vision nennt. Das größte Stück deutscher Sprache
seit Brecht basiert nicht auf einer politischen Ideologie,
seine Vision gibt sich nicht als Programm, es zeigt die
Gesellschaft nicht als veränderbar; trotzdem ist es ein
großes Stück. Ich spreche vom *Besuch der alten Dame*. Es
gibt nicht nur Sezuan, sondern auch Güllen; beide nur
auf der Bühne, beide meinen unsere Welt, aber sie bilden
sie nicht ab, sie deuten sie, wobei die Frage, ob dadurch

die Welt zu verändern ist, sich bei Dürrenmatt nicht
stellt ... Ich weiß nicht, wieweit Brecht an die erzieheri-
sche Wirkung seines Theaters tatsächlich glaubte; sein Ja,
wenn man ihn danach fragte, war gewiß, und wir kennen es aus seinen Schriften; sahen wir ihn in den Proben,
hatte ich den Eindruck: auch der Nachweis, daß das Theater nichts beiträgt zur Veränderung der Gesellschaft,
änderte nichts an seinem Bedürfnis nach Theater. Dies
meine ich nicht als Verdächtigung seiner politischen Haltung, sondern als Frage nach den produktiven Impulsen.

RA 1964/1

Was ich im Theater gelernt habe:
Ein Schauspieler, der einen Hinkenden darzustellen hat,
braucht nicht mit jedem Schritt zu hinken. Es genügt, im
rechten Augenblick zu hinken. Je sparsamer, um so glau-
hafter. Es kommt aber auf den rechten Augenblick an.
Hinkt er nur dann, wenn er sich beobachtet weiß, wirkt
er als Heuchler. Hinkt er immerzu, so vergessen wir's,
daß er hinkt. Tut er aber manchmal, als hinke er ja gar
nicht, und hinkt, sowie er allein ist, glauben wir es. Dies
als Lehre. Ein hölzernes Bein, in Wirklichkeit, hinkt unablässig, doch bemerken wir es nicht unablässig, und dies
ist es, was die Kunst der Verstellung wiederzugeben hat:
die überraschenden Augenblicke, nur sie. Plötzlich daran
erinnert, daß dieser Mann ja hinkt, sind wir beschämt,
sein Übel vergessen zu haben, und durch Beschämung
überzeugt, so daß der Versteller eine ganze Weile lang
nicht zu hinken braucht; er mag es sich jetzt bequem
machen.   MNSG, S. 156 f

Die einzige Realität auf der Bühne besteht darin, daß auf der Bühne gespielt wird. Spiel gestattet, was das Leben nicht gestattet. Was zum Beispiel das Leben nicht gestattet: daß wir die Kontinuität der Zeit aufheben; daß wir gleichzeitig an verschiedenen Orten sein können; daß sich eine Handlung unterbrechen läßt (Song, Chor, Kommentar usw.) und erst weiterläuft, wenn wir ihre Ursache und ihre möglichen Folgen begriffen haben; daß wir eliminieren, was nur Repetition ist usw. In der Realität können wir einen Fehler, der stattgefunden hat, zwar wiedergutmachen durch eine spätere Tat, aber wir können ihn nicht tilgen, nicht ungeschehen machen; wir können für ein vergangenes Datum kein anderes Verhalten wählen. Leben ist geschichtlich, in jedem Augenblick definitiv, es duldet keine Variante. Das Spiel gestattet sie. Flucht aus der Realität? — das Theater reflektiert sie; es imitiert sie nicht. Nichts widersinniger als Imitation von Realität, nichts überflüssiger; Realität gibt's genug. Das Imitier-Theater (die Etikette stammt meines Wissens von Martin Walser) mißversteht das Theater; es gibt Regisseure, die es meisterhaft pflegen: Theater, das den Zuschauer in die Position des Voyeurs versetzt und in dieser Position betrügt; ich muß, um in die Position des Voyeurs zu kommen, mein Bewußtsein ausschalten und vergessen, daß da vorne ja gespielt wird, und wenn mir das nicht gelingt, ist es doppelt peinlich. Das ursprüngliche Theater (mit Kothurn, Maske, Vers usw.) war natürlich kein Imitier-Theater; der antike Zuschauer blieb sich bewußt, daß im Ensemble keine Götter engagiert sind... Brecht kultivierte gegen das Imitier-Theater die gezielte Verfremdungs-Geste des Darstellers, das be-

kannte Inventar mit Songs und Beschriftung usw.
Friedrich Dürrenmatt setzt die Groteske dagegen, Samuel Beckett die radikale Reduktion, Martin Walser
spricht dringlich von einem Bewußtseins-Theater, und
das heißt: Darstellung nicht der Welt, sondern unseres Bewußtseins von ihr. Wie immer die Etikette jeweils lautet: gesucht und auf verschiedene Weise auch
gefunden ist Theater, das nicht Realität abzubilden
vorgibt (das tut nur eine gewisse Art von Schauspie-
ler-Kunst; Sache der Stückeschreiber ist es, ein Imitier-Theater schon dramaturgisch auszuschließen) —

TaII, S. 89 f

Die Alternative U. S. A.

Was Amerika zu bieten hat: Komfort, die beste Instal-
lation der Welt, ready for use, die Welt als amerikani-
siertes Vakuum, wo sie hinkommen, alles wird Highway,
die Welt als Plakat-Wand zu beiden Seiten, ihre Städte,
die keine sind, Illumination, am anderen Morgen sieht man
die leeren Gerüste, Klimbim, infantil, Reklame für Optimismus als Neon-Tapete vor der Nacht und vor dem Tod.
WALTER FABER   HF, S. 251

The American way of life:
Schon ihre Häßlichkeit, verglichen mit Menschen wie
hier: ihre rosige Bratwurst-Haut, gräßlich, sie leben, weil
es Penicillin gibt, das ist alles, ihr Getue dabei, als wären
sie glücklich, weil Amerikaner, weil ohne Hemmungen,
dabei sind sie nur schlaksig und laut — Kerle wie Dick,
die ich mir zum Vorbild genommen habe! — wie sie

herumstehen, ihre linke Hand in der Hosentasche, ihre
Schulter an die Wand gelehnt, ihr Glas in der andern
Hand, ungezwungen, die Schutzherren der Menschheit,
ihr Schulterklopfen, ihr Optimismus, bis sie besoffen sind,
dann Heulkrampf, Ausverkauf der weißen Rasse, ihr
Vakuum zwischen den Lenden.   WALTER FABER   HF, S. 250

New York, März 1971
Man erwacht, geht auf die Straße und überlebt. Das
macht fröhlich, fast übermütig. Es braucht nichts Besonderes vorzufallen; es genügt die Tatsache, daß man überlebt von Alltag zu Alltag. Irgendwo wird gemordet, und
wir stehen in einer Galerie, begeistert oder nicht, aber
gegenwärtig, und es ist nicht gelogen, wenn ich antworte:
THANK YOU, I AM FINE!   TaII, S. 373

The American way of life:
Schon was sie essen und trinken, diese Bleichlinge, die
nicht wissen, was Wein ist, diese Vitamin-Fresser, die
kalten Tee trinken und Watte kauen und nicht wissen,
was Brot ist, dieses Coca-Cola-Volk, das ich nicht mehr
ausstehen kann —
Dabei lebe ich von ihrem Geld!   WALTER FABER
                                             HF, S. 249

New York, Mai
Bäume grünen in den Höfen, Bäume wie richtige Bäume,
man schaut hinunter auf ihr grünes Laub nicht ohne
Rührung: diese Tapferkeit des Chlorophylls!   TaII, S. 427

Wer macht unser Bild

Ich lechze nach Verrat. Ich möchte wissen, daß ich bin.
Was mich nicht verrät, verfällt dem Verdacht, daß es nur
in meiner Einbildung lebt, und ich möchte aus meiner
Einbildung heraus, ich möchte in der Welt sein. Ich
möchte im Innersten verraten sein. Das ist merkwürdig.
(Beim Lesen der Jesus-Geschichte hatte ich oft das Gefühl,
daß es dem Jesus, wenn er beim Abendmahl vom kommenden Verrat spricht, nicht nur daran gelegen ist, den
Verräter zu beschämen, sondern daß er einen seiner Jünger zum Verrat bestellt, um in der Welt zu sein, um seine
Wirklichkeit in der Welt zu bezeugen . . .)   MNSG, S. 419

Wie aber sollen wir darauf verzichten können, wenigstens
von unseren Nächsten erkannt zu werden in unserer Wirklichkeit, die wir selbst nicht kennen, sondern bestenfalls
nur leben können? Es wird nie möglich sein ohne die Gewißheit, daß unser Leben von einer übermenschlichen Instanz
gerichtet wird, ohne wenigstens die leidenschaftliche
Hoffnung, daß es diese Instanz gebe.   S, S. 537 f

Ein Katholik hat die Beichte, um sich von seinem Geheimnis zu erholen, eine großartige Einrichtung; er kniet
und bricht sein Schweigen, ohne sich den Menschen aus-
zuliefern, und nachher erhebt er sich, tritt wieder seine
Rolle unter den Menschen an, erlöst von dem unseligen
Verlangen, von Menschen erkannt zu werden. MNSG, S. 152 f

Solange ja ein Mensch nicht sich selbst annimmt, wird er
stets jene Angst haben, von der Umwelt mißverstanden

und mißdeutet zu werden; es ist ihm viel zu wichtig, wie
wir ihn sehen, und gerade mit seiner bornierten Angst,
von uns zu einer falschen Rolle genötigt zu werden, macht
er zwangsläufig auch uns borniert. Er möchte, daß wir ihn
frei lassen; aber er selbst läßt uns nicht frei. Er gestattet
uns nicht, ihn etwa zu verwechseln. Wer vergewaltigt
wen? Darüber wäre viel zu sagen. Die Selbsterkenntnis,
die einen Menschen langsam oder jählings seinem bisherigen Leben entfremdet, ist ja bloß der erste, unerläßliche,
doch keineswegs genügende Schritt. Wie viele Menschen
kennen wir, die eben auf dieser Stufe stehenbleiben, sich
mit der Melancholie der bloßen Selbsterkenntnis begnügen
und ihr den Anschein der Reife geben! Darüber war
Stiller hinaus, glaube ich, schon als er in seine Verschollen-
heit ging. Er war im Begriff, den zweiten und noch viel
schwereren Schritt zu tun, herauszutreten aus der Resignation darüber, daß man nicht ist, was man so gerne gewesen wäre, und zu werden, was man ist. Nichts ist
schwerer als sich selbst anzunehmen!   S. S. 536 f

Haß
Wenn ich gerade Bilanz machen müßte: — keine Person,
die ich im Augenblick hasse; nur etliche, denen ich nicht
begegnen möchte, da es sein könnte, daß es nochmals zum
Haß kommt. Ich hasse nicht selten, aber kurzatmig. Vielleicht ist es meistens nur Zorn. Kein Fall von lebensläng-
lichem Haß. Vor allem meine ich sicher zu sein, daß mein
Haß mich mehr geschädigt hat als sie, die ich haßte. Haß
als Stichflamme, die plötzlich erhellt; aber dann verdummt
er mich. Vielleicht kommt es daher, daß dem Hassenden
eher an Versöhnung gelegen ist als dem Gehaßten. Wenn
ich feststelle, daß jemand mich haßt, kann ich mich

leichter entziehen; ich halte mich eben an andere, die mich nicht hassen. Trotz einer natürlichen Dosis von Selbsthaß bin ich vorerst irritiert, wenn ich mich von jemand (ohne daß ich ihm ein Bein gestellt hätte) gehaßt finde. Habe ich mit Sympathie gerechnet? Eigentlich nicht. Was irritiert, ist die unerwartete Intensität einer einseitigen Beziehung; der Reflex ist nicht Gegen-Haß, vielleicht Verwirrung, vor allem aber Wachheit. Ich habe das Gefühl, er fördere mich (zu einem gewissen Grad) durch Wachheit, oder ich kann den Hassenden vergessen. Umgekehrt nicht; als der Hassende halte ich mich an den Gehaßten, und es hilft mir nichts, daß er sich entzieht, im Gegenteil. Je seltener ich ihn sehe oder von ihm höre, um so gründlicher mein Haß, d. h. meine Selbstschädigung. Ferner stelle ich fest: Haß auf eine Person nötigt mich zu einem Grad von Gerechtigkeit, den ich nie erreiche, und überanstrengt mich. Meistens braucht es nicht einmal eine Versöhnung; mein Haß wird mit der Zeit zu kostspielig, das ist alles, mit der Zeit steht er in keinem Verhältnis zu der betreffenden Person, die mir eigentlich, was immer sie getan haben soll, gleichgültig geworden ist ... Anders ist es mit dem Haß, der sich nicht auf eine Person bezieht, sondern auf ein Kollektiv oder insofern auf eine Person, als sie ein Kollektiv repräsentiert. Mein einziger lebenslänglicher Haß: Haß auf bestimmte Institutionen. Da wird der Haß selbst eine Institution. Auch da schädigt der Haß vor allem mich selbst, aber ich bleibe meiner Selbstschädigung treu, weil dieser Haß sich als Gesinnung versteht und Gleichgültigkeit wie Versöhnung ausschließt —

TaII, S. 212 f

Recht & Ordnung

Wenn Sie auf der Straße stehenbleiben, um einem Bettler etwas auszuhändigen: warum machen Sie's immer so flink und so unauffällig wie möglich? TaII, S. 404

Geld: das Gespenstische, daß sich alle damit abfinden, obschon es ein Spuk ist, unwirklicher als alles, was wir dafür opfern. Dabei spürt fast jeder, daß das Ganze, was wir aus unseren Tagen machen, eine ungeheuerliche Schildbürgerei ist; zwei Drittel aller Arbeiten, die wir während eines menschlichen Daseins verrichten, sind überflüssig und also lächerlich, insofern sie auch noch mit ernster Miene vollbracht werden. Es ist Arbeit, die sich um sich selber dreht. Man kann das auch Verwaltung nennen, wenn man es sachlich nimmt, oder Arbeit als Tugend, wenn man es moralisch nimmt. Tugend als Ersatz für die Freude. Der andere Ersatz, da die Tugend selten ausreicht, ist das Vergnügen, das ebenfalls eine Industrie ist, ebenfalls in den Kreislauf gehört. Das Ganze mit dem Zweck, der Lebensangst beizukommen durch pausenlose Beschäftigung, und das einzig Natürliche an diesem babylonischen Unterfangen, das wir Zivilisation nennen: daß es sich immer wieder rächt. TaI, S. 72

Können Sie sich erinnern, seit welchem Lebensjahr es Ihnen selbstverständlich ist, daß Ihnen etwas gehört, beziehungsweise nicht gehört? TaII, S. 403

Verändern wollen wir alle — darin sind wir uns einig, und es geht jedesmal nur darum, wie die Veränderung möglich sein soll; es ist nicht die erste Nacht, die wir die-

ser Frage opfern. Die einen glauben, es bleibe uns nur
noch die Entdeckung der menschlichen Seele, das Aben-
teuer der Wahrhaftigkeit, und sie sehen keine anderen
Räume der Hoffnung. Die anderen dagegen sind überzeugt, daß sich der Mensch in dieser Welt, so wie sie ist,
nicht verändern kann; also müssen wir vor allem die Welt
verändern, die äußere, damit der Mensch, der ihnen als
Erzeugnis dieser äußeren Welt erscheint, sich seinerseits
erneuern kann. Ihnen geht es um die Entdeckung einer
neuen Wirtschaft; der neue Geist, sagen sie, folgt in dem
Augenblick, wo er möglich wird, und sie glauben so gänzlich daran, so zweifellos, daß sie bereit sind, die Veränderung der äußeren Ordnung, die den Menschen befreien
soll, allenfalls mit Gewalt herzustellen. Damit kommen
wir dann jedesmal auf die andere Grundfrage. Gibt es
einen Zweck, der unsere Mittel heiligen kann? Darf ich die
anderen fesseln und allenfalls töten, die verhindern wollen, was mir als das Heil erscheint? Errichte ich damit das
Heil, das ich sonst nicht errichten kann? Ich kam in der
Meinung, daß man darüber nicht mehr nachdenken müßte,
und sehe, daß ich auch darüber zu wenig denken kann;
sonst könnte ich sie überzeugen, zumal wir auch über das
Ziel, das wir unsrer Veränderung setzen, durchaus einig
sind. Wir wollen die Würde aller Menschen. Daran müssen wir uns immer wieder erinnern, damit unser Gespräch
sich nicht verliert. Die Würde des Menschen, scheint mir,
besteht in der Wahl. Das ist es, was den Menschen auch
vom Tier unterscheidet; das Tier ist stets nur ein Ergebnis;
das Tier kann nicht schuldig werden, so wenig wie es frei
werden kann; das Tier tut stets, was es muß; und es weiß
nicht, was es tut. Der Mensch kann es wissen, und sogar
Gott, der Allmächtige, läßt ihm die Wahl, ob er seinen
guten oder seinen bösen Engeln folgen will; weil Gott uns

nicht als Tiere will. Erst aus der möglichen Wahl gibt sich die Verantwortung; die Schuld oder die Freiheit; die menschliche Würde, die man manchmal gerne für das leichtere Dasein einer Möwe gäbe. Meine Freunde sagen: Es geht um die Freiheit. Und damit meinen sie wohl das gleiche; die Freiheit als einen Teil der Würde. Warum verneinen wir gemeinsam die wirtschaftliche Ordnung, die herrschende? Weil sie einem Menschen oder einer Gruppe von Menschen oder der Mehrzahl aller Menschen schlechterdings keine Wahl läßt; weil sie gegen die Würde des Menschen verstößt. Das Tierische liegt nicht allein in der Not, wo sie sich als Armut darstellt und sichtbar wird, indem einer in schlechten Schuhen gehen muß oder sogar barfuß; das ist bitter. Aber das Bittere ist nicht der leibliche Schmerz. Niemand wird im Ernst annehmen, daß diese äußeren Dinge nicht wichtig sind für den Geist; sie sind ein Zwang, eine Verhinderung. Der Hungernde hat keine Wahl. Sein Geist kommt nicht, woher er will, sondern er kommt aus dem Hunger. Aber es braucht nicht einmal den Hunger, um die herrschende Ordnung anzuklagen. Wenn der Vater ein gerechter Arbeiter ist und der Sohn wieder ein Arbeiter werden muß, weil man sich andere Versuche einfach nicht leisten kann, so liegt das Unwürdige nicht in der Arbeit, nicht in der Art der Arbeit, sondern darin, daß der Sohn überhaupt keine Wahl hat. Woher soll er die Verantwortung nehmen gegenüber einer Gesellschaft, deren wirtschaftliche Ordnung ihn vergewaltigt? Er ist ein Opfer, auch wenn er keinen Hunger leidet. Er wird nicht, was er werden kann, und niemals wird er wissen, was er kann; vielleicht kann er wirklich nichts anderes. Wie kann man es entscheiden, bevor man ihn prüft? Andere können werden, was sie sind, manchmal sogar mehr: weil das Können so selten ist, weil Millionen von Geburten vergeudet werden. Darum möchten wir eine Ordnung, die niemanden der Wahl beraubt, und meine Freunde glauben allerdings, daß sie den Entwurf einer solchen Ordnung haben; vieles an ihrem Entwurf ist begeisternd, und wenn wir vom Ziel sprechen, sind wir immer wieder einig. Wenn aber dieses Streben, daß alle in ganzen Schuhen gehen und daß keiner durch die wirtschaftliche Ordnung gezwungen und somit um die Wahl und somit um die Würde betrogen wird; wenn dieses große und unerläßliche Streben dazu führen sollte, daß man es mit einem Staat versucht, der meinem Denken fortan keine Wahl mehr läßt, was haben wir erreicht? Wir hätten das Mittel verwirklicht, nicht das Ziel. Die Würde des Menschen, wie wir dieses Ziel nennen, ist die Wahl; nicht die Badewanne, die der Staat ihm liefert, wenn er nicht am Staate zweifelt. Wie soll ich glauben können, wenn man mir keine Wahl läßt? Allein die Gewalt, die mir den Zweifel verbietet, nimmt mir den Glauben noch da, wo ich ihn schon hatte —

Frage:

»Dürfen wir annehmen, daß die Tyrannei sich in einen Segen verwandelt, wenn unsere eignen Hände nach ihr greifen?«

Antwort:

»Es handelt sich höchstens um einen Übergang.«

Frage:

»Kennen wir in der menschlichen Geschichte einen solchen Übergang, eine Tyrannei, die nicht in die Luft flog, sondern in natürlichem Wachstum sich als ihr Gegenteil entpuppte?«

Antwort:

»Darüber reden wir in hundert Jahren.«

Gelächter . . .   TaI, S. 164 f

Wenn Sie ein Untergebener sind: halten Sie es für Humor, wenn der Vorgesetzte über Ihre ernsten Beschwerden und Forderungen lächelt, d. h. für einen Mangel an Humor, wenn Sie nicht auch lächeln, oder lachen Sie dann, bis der Vorgesetzte seinen Humor einstellt, und womit erreichen Sie noch weniger?

TaII, S. 218

Die ganze Erziehung, die nicht nur unsere Kirche, sondern auch unsre Schulen abliefern, geht wesentlich dahin, daß wir anständige Menschen werden, beispielsweise daß wir nicht stehlen — sie geht nicht dahin, daß wir uns wehren, wo immer gestohlen wird, und daß wir für das Gute, das sie uns lehrt, kämpfen sollen. Das Gute, wir wissen es, läßt sich allerhöchstens in deiner eignen Brust verwirklichen. Ein guter Gedanke, gewiß, gut für die Herrschenden.

TaI, S. 254

Wer sich nicht mit Politik befaßt, hat die politische Parteinahme, die er sich sparen möchte, bereits vollzogen: er dient der herrschenden Partei.

TaI, S. 379

Manieren

Was, meinen Sie, nimmt man Ihnen übel und was nehmen Sie sich selber übel, und wenn es nicht dieselbe Sache ist: wofür bitten Sie eher um Verzeihung?

TaII, S. 10

»Ich habe noch nie in meinem Leben wirklich gearbeitet. Ich habe mehr getan als viele, die ihre acht Stunden haben und einen Dünkel, dem nichts entspricht. Aber ich habe stets nur getan, was mir gefiel, was mich lockte. Das ist es!

In allen Dingen dieses Lebens. Eines Tages begreift man:
Ich habe mein Leben genossen, aber nicht gelebt.«
JÜRG REINHART   DS, S. 156 f

Er kam aus Boston und war Musiker. Manchmal ging er
mir auf die Nerven wie alle Künstler, die sich für höhere
oder tiefere Wesen halten, bloß weil sie nicht wissen, was
Elektrizität ist.   HF, S. 55

Wie immer, wenn einer den Mut hatte zu offener Selbst-
sucht, kam der andere mit seiner verdammten Moral.
                                                          S, S. 222

Niemand geht gerne zu einem Ehepaar in Krise, versteht
sich, es liegt in der Luft, selbst wenn man nichts davon
weiß, und der Besucher hat das Gefühl, einem Waffenstillstand beizuwohnen, er kommt sich als Notbrücke vor,
er fühlt sich irgendwie mißbraucht, zu einem Zweck ein-
gesetzt, und das Gespräch wird unfrei, der Übermut in
vorgerückten Stunden wird gefährlich, plötzlich wird mit
Witzen geschossen, die etwas zu scharf sind, etwas ver-
giftet, der Besucher merkt mehr, als die Gastgeber preisgeben wollen; es ist gemütlich wie auf einem Minenfeld,
ein solcher Besuch bei einem Ehepaar in Krise, und wenn
nichts platzt, so riecht es doch allenthalben nach heißer
Beherrschung. Und wenn es auch zutreffen mag, was die
Gastgeber sagen, nämlich daß es für sie der netteste Abend
seit langem gewesen ist, man kann es verstehen; aber man
lechzt nicht nach der nächsten Einladung, und die Hinder-
nisse häufen sich unwillkürlich, in der Tat, man hat kaum
noch einen freien Abend. Man bricht nicht mit einem Ehe-

paar in Krise, gewiß nicht. Man sieht sich nur etwas seltener, und infolgedessen vergißt man das Ehepaar, wenn man selber eine Einladung macht, unwillkürlich, absichtslos.   S, S. 145 f

Was pflegen Sie zu sagen, wenn es in Ihrem Freundeskreis wieder zu einer Scheidung kommt, und warum haben Sie's bisher den Beteiligten verschwiegen?   TaII, S. 61

Es gibt allerlei Arten, einen Menschen zu morden oder wenigstens seine Seele, und das merkt keine Polizei der Welt. Dazu genügt ein Wort, eine Offenheit im rechten Augenblick. Dazu genügt ein Lächeln. Ich möchte den Menschen sehen, der nicht durch Lächeln umzubringen ist oder durch Schweigen. Alle diese Morde, versteht sich, vollziehen sich langsam. — ANATOL L. STILLER   S, S. 163 f

Was man gemeinhin als Indiskretion bezeichnet: Mitteilungen aus dem privaten Bezirk des Schreibers, die den Leser nichts angehen. Und was die eigentliche Indiskretion ist: wenn einer mitteilt, was den Leser etwas angeht und was der Leser selbst weiß, aber seinerseits nie ausspricht. —   TaII, S. 309

Manchmal hißt er Ernst, die Miene des Ernstes, die sich der andere erwartet; kommt es dahin, daß ihm derselbe Ernst unterstellt wird, ist's aus: weg in Witz. So fängt man diesen Vogel nicht. Da wird er launig, gescheit-vergnüglich für die anderen, die seine Schwermut nichts angeht. Sprich von Wachteln oder von sonst was immer, und wenn schon von dir oder mir, schone unsern Ernst; ein einziges Gedicht, vierzeilig, verschlingt so viel davon. Das sagt er schon nicht mehr; da schont er schon seinen Ernst. RA 1973

Sind Sie sicher, daß Sie die Erhaltung des Menschengeschlechts, wenn Sie und alle Ihre Bekannten nicht mehr sind, wirklich interessiert?   TaII, S. 9

Nationalität: Schweiz

»Warten wir ab«, [...] »bis Deutschland, unser tüchtiger Nachbar, wieder das große Geschäft ist! Und wenn die es nochmals mit Faschismus versuchen, an der Schweiz wird's nicht fehlen, sie wird sekundieren. Glaub mir! Es ist ja klar; ein Land, das aufrüstet, ist anfänglich für seine Nachbarn immer ein herrliches Geschäft. Dann halte den Mund! Und glaube, was in unseren Zeitungen steht; sie lehren dich schon, wer die Banditen sind. Genau wie damals! Bis der freundliche Nachbar unseren Käse nicht mehr frißt oder unsere Uhren nicht braucht, weil die Zeit fortan nach seinen Uhren geht, dann das große Geschrei, o ja, das Ende der Freiheit, das Ende des Geschäftes, dann plötzlich sind wir wieder der ewige Hort der Humanität, wie immer, die Inhaber des Friedens, die Priester des Rechts — zum Kotzen«.   S, S. 351

Der amerikanische Antikommunismus, der sich immer unverhohlener der Faschismen bedient, wird die schweizerische Lebensform nicht schützen. Das ist eine trügerische Hoffnung. Wenn wir Schweizer bleiben wollen, müs-

sen wir unsere Zukunft schon selber planen. Auch die
Hoffnung auf die Wasserstoffbombe, die amerikanische,
ist nicht unsere Hoffnung. ads, S. 12

Hat die Schweiz [...] irgendein Ziel in die Zukunft hinaus? Zu bewahren, was man besitzt oder besessen hat, ist
eine notwendige Aufgabe, doch nicht genug; um lebendig
zu sein, braucht man ja auch ein Ziel in die Zukunft hinaus. Welches ist dieses Ziel, dieses Unerreichte, was die
Schweiz kühn macht, was sie beseelt, dieses Zukünftige,
was sie gegenwärtig macht? Sie sind sich einig in dem
Wunsch, daß die Russen nicht kommen; aber darüber hinaus: Was ist, wenn ihnen die Russen erspart bleiben, ihr
eigenes Ziel? Was wollen sie aus ihrem Land gestalten?
Was soll entstehen aus dem Gewesenen? Was ist ihr Entwurf? Haben sie eine schöpferische Hoffnung? Ihre letzte
große und wirklich lebendige Epoche (laut Vorträgen
meines Verteidigers) war die Mitte des neunzehnten Jahrhunderts, die sogenannten Achtundvierziger-Jahre. Damals hatten sie einen Entwurf. Damals wollten sie, was
es zuvor noch nie gegeben hatte, und freuten sich auf das
Morgen, das Übermorgen. Damals hatte die Schweiz eine
geschichtliche Gegenwart. Hat sie das heute? Das Heimweh nach dem Vorgestern, das die meisten Menschen hierzulande bestimmt, ist bedrückend. Es zeigt sich [...] in
der Literatur: die meisten und wohl auch besten Erzäh-
lungen entführen in die ländliche Idylle; das bäuerliche
Leben erscheint als letztes Reduit der Innerlichkeit; die
meisten Gedichte meiden jede Metaphorik, die der eigenen
Erfahrungswelt des Städters entstammen würde, und
wenn nicht mit Pferden gepflügt wird, liefert das Brot ihnen keine Poesie mehr; eine gewisse Wehmütigkeit, daß

das neunzehnte Jahrhundert immer weiter zurückliegt, scheint die wesentlichste Aussage im schweizerischen Schrifttum zu sein. Und genau so die offizielle Architektur: wie zögernd und lustlos ändern sie den Maßstab ihrer wachsenden Städte, wie wehmütig, wie widerspenstig und halbbatzig.

S, S. 326 f

Kein Zweifel: ginge es wieder darum, zwischen Rußland und Amerika zu wählen, so wäre die Wahl für die allermeisten Schweizer getroffen und zwar so eindeutig getroffen, daß man meinen möchte, wir seien um die Auseinandersetzung herumgekommen. In der Tat, es gibt weiterum kein Land, wo so wenig Auseinandersetzung zu finden ist wie in der Schweiz. Vertrauen wir auf die Ewigkeit der Konjunktur? Oder auf unsere Eigenart? Wir sind eigenartig, kein Zweifel, und wir wünschen es zu bleiben. Es fragt sich nur, ob und wie wir es können ...

ads, S. 5

Man müßte denken können. Und man müßte sich ausdrücken können, so daß ihnen nichts anderes übrigbliebe als ihre Wahrheit. Ich sehe bloß, daß es sogar mit der staatsbürgerlichen Freiheit, deren sie sich so rühmen, als wäre sie die Freiheit des Menschen schlechthin, in der Tat ziemlich faul ist, und ich kann mir ausrechnen, daß sie als ganzes Land, als Staat unter Staaten, genau so unfrei sind wie irgendein Kleiner unter Größeren, das ist nun einmal so, nur dank ihrer Unwichtigkeit (ihrer heutigen Geschichtslosigkeit) können sie sich selbst zuweilen in dem Anschein gefallen, unabhängig zu sein, und auch dank ihrer kaufmännischen Vernünftigkeit, die sie um des Handels willen zwingt, höflich zu sein mit den Mächtigen, und wer gegen die Mächtigen, da er so wohl von ihnen lebt, nichts einzuwenden hat, wird sich immer frei und unabhängig fühlen. Aber was hat all das zu tun mit Freiheit? Ich sehe doch ihre Gesichter; sind sie frei? Und ihr Gang, allein ihr häßlicher Gang; ist das der Gang von freien Menschen? Und ihre Angst, ihre Angst vor der Zukunft, ihre Angst, eines Tages vielleicht arm zu sein, ihre Angst vor dem Leben, ihre Angst, ohne Lebensversicherung sterben zu müssen, ihre Angst allerenden, ihre Angst davor, daß die Welt sich verwandeln könnte, ihre geradezu panische Angst vor dem geistigen Wagnis — nein, sie sind nicht freier als ich, der ich auf dieser Pritsche hocke und weiß, daß der Schritt in die Freiheit (den keine Vorfahren uns abnehmen können) immerdar ein ungeheurer Schritt ist, ein Schritt, womit man alles verläßt, was bisher als sicherer Boden erschienen ist, und ein Schritt, den niemand, wenn ich ihn einmal zu machen die Kraft habe, aufzuhalten vermag: nämlich es ist der Schritt in den Glauben, alles andere ist nicht Freiheit, sondern Geschwätz. S, S. 260 f

Wir haben uns damit begnügt, allenthalben einen möglichst vorteilhaften Handel zu treiben, und erleben ein heimliches Unbehagen, das durch keinen noch so ergötzlichen Wohlstand zu verscheuchen ist. Es ist das Unbehagen, zwar die Welt bereisen zu können, aber als Schweizer nicht wirklich der Welt anzugehören. ads, S. 5

Der Schweizer beginnt international als die Figur des Neureichen bekannt zu werden. Das ist nicht unbegründet.

Unser Reichtum (als Nation) hat keine entsprechende Leistung hervorgebracht. Wir verlieren nur die Lebensform der Vorfahren, zwangsläufig, wir mumifizieren sie in Festen; das Schweizertum wird zum Kostüm, das als Kostüm gepflegt wird. Beispielhaft in dieser Richtung ist das Zürcher Sechseläuten; einmal im Jahr nimmt man seine eidgenössische Lebensform aus der Truhe und setzt sich aufs Roß, um durch die Vaterstadt zu reiten, und der Verkehr und die Neuzeit sind an diesem Tag gesperrt, denn für die Neuzeit haben wir keine Lebensform. Das zeigt sich fast in jeder Begegnung zwischen Schweizern und Ausländern; entweder ist der Schweizer einfach holzig, um seine Eigenständigkeit zu zeigen, oder er ist in einer peinlichen Art beflissen, höflich zu sein, weltmännisch zu wirken, um nicht zu sagen: allerweltsmännisch. Er wirkt gerade dadurch unsicher; er ist es auch und sogar mit Recht — wir haben keine schweizerische Lebensform mehr, keine Lebensform, die beides zugleich ist, modern und schweizerisch. Gerade die Gesellschaftsschicht, die in unserem Lande führend ist, weil sie das Geld hat, ist offenkundig verlegen; sie wissen nicht, wie sie sich einrichten sollen. Jeder noch so verlogene Heimatstil war ihnen recht — Jetzt ist es eine andere Mode, jetzt versuchen sie es mehr amerikanisch . . . Sie sind es schon heute, Vasallen einer fremden Lebensform, sie sind es schon bis in den Tonfall hinein. Begreiflicherweise, denn wo finden sie eine heutige Manifestation der schweizerischen Lebensform? ads, S. 17 f

Wir leben provisorisch, das heißt: ohne Plan in die Zukunft. Unsere politischen Parteien sind passiv. Sie kümmern sich gerade noch um die Gegenwart, um Amtsperioden und die nächsten Wahlen; dabei nehmen sie die Gegenwart ganz und gar als Gegebenheit, und es geht nur darum, innerhalb dieser Gegebenheiten möglichst vorteilhaft abzuschneiden. Es fehlt ihnen jede Größe eines gestalterischen Willens, und darum sind sie so langweilig, daß die jungen Menschen nicht von ihnen sprechen. Unsere Politik ist nicht Gestaltung, sondern Verwaltung, weit davon entfernt, aus den Gegebenheiten der Gegenwart eine andere Zukunft zu planen. Wozu soll die Zukunft anders sein? Sie wird aber anders sein, ohne unser Zutun, gegen uns. Es ist, wie gesagt, kein Zufall, daß die Schweiz immer eine heimliche Angst vor der Zukunft hat; wir leben ohne Plan, ohne Entwurf einer schweizerischen Zukunft. ade, S. 18

Beruf: Schriftsteller

Domäne der Literatur? . . . Heute keine Frage: die res publica. Das ist aus helvetischer Tradition (Jeremias Gotthelf, Gottfried Keller) nicht unbegreiflich. Manches kommt einem Ausländer, wenn er heute die deutschen Stimmen hört, wie Übereifer von Konvertiten vor; sie brechen aus dem berüchtigten Elfenbeinturm hervor wie ein Stoßtrupp. Lauter Zolas: J'accuse! Eine erfreuliche Wendung. D, S. 33

Um zu schreiben! Um die Welt zu ertragen, um standzuhalten sich selbst, um am Leben zu bleiben. Beginnt es aber nicht mit einem lauteren und unbekümmerten Spieltrieb vorerst, mit einer Selbstverständlichkeit und Verwunderung zugleich, daß uns etwas einfällt, mit einer geradezu natürlichen Machlust, naiv und rücksichtslos, verantwortungslos. Man fängt einfach an. Genauer: Es hat schon angefangen. Insgeheim, und weil man bei allen Kapriolen des Größenwahns nicht an Veröffentlichung glaubt, ohne einen Schatten von Verantwortung. Eines Tages erwacht man und sieht sich veröffentlicht, das ist alles; die heikle Frage, welche Verantwortung der Schriftsteller gegenüber der Gesellschaft habe, stellt sich anständigerweise ja erst von einer gewissen Wirkung an. Lange vorher aber, fast von Anfang an, tritt etwas andres ein, was die Keuschheit unseres Machens trübt: die Eitelkeit, die Versuchung, daß man schreibt, bloß um in der Öffentlichkeit zu sein. Wieso dies eine Ehre sein soll, bleibt rätselhaft; in der Öffentlichkeit zu sein gelingt auch jedem Rennfahrer und jedem Minister. Sind nicht vielleicht manche Schriftsteller nur darum so kämpferisch gegen dies oder das, um es selber nicht als Eitelkeit zu erkennen, wenn sie immer und immer in die Arena springen? Im Grunde, wer weiß, haben sie gar nichts gegen den Stier. Wie aber steht es mit wirklichen Ehrungen, nach denen wir lechzen, je unglücklicher wir mit unsrer Arbeit sind? Natürlich bringen sie nie eine Genesung, nur Linderung durch Selbstironie. Warum also, meine ich, veröffentlichen wir trotz solcher Erfahrung? Es muß noch etwas andres sein, was uns drängt, nicht nur jener Spieltrieb und der Drang, Dämonen zu bannen, indem man sie an die Wand malt, nicht nur die naive Machlust, die ja auch hinter geschlossenen Türen sich austoben könnte, sondern etwas anderes, was über das Machen hinaus zur Veröffentlichung des Gemachten drängt, etwas ebenso Naives: Bedürfnis nach Kommunikation ... Man möchte gehört werden; man möchte nicht so sehr gefallen als wissen, wer man ist. Bin ich ausgefallen, so wie ich meine Zeit erfahre, oder bin ich unter Geschwistern? Man gibt Zeichen von sich. Man ruft über jene Sprache hinaus, die Konvention ist und die Einsamkeit nicht aufhebt, sondern nur verbirgt, man schreit aus Angst, allein zu sein im Dschungel der Unsagbarkeiten. Man hat Durst nicht nach Ehre, aber nach Menschen, aber nach Menschen, die nicht im persönlichen Leben mit uns verstrickt sind. Man hebt das Schweigen, das öffentliche, auf (oft, wie gesagt, über alle Scham hinaus) im Bedürfnis nach Kommunikation. Man gibt sich preis, um einen Anfang zu machen. Man bekennt: Hier steh ich und weiß nicht weiter. Und all dies ungefragt! Kein Schriftsteller, so glaube ich, schreibt für die Sterne, so wenig wie für das Publikum, sondern er schreibt für sich selbst in bezug auf Menschen, die möglicherweise noch nicht geboren sind. Das heißt: Die Unverständlichkeit (wie sie heute vor allem der Lyrik vorgeworfen wird) wäre also in jedem Fall, wo sie mehr als snobistische Tarnung eines Unvermögens ist, nur eine Noch-nicht-Verständlichkeit. Denn jedes Kunstwerk hat es in sich, daß es wahrgenommen werden will. Es will, wie monologisch es auch ausfallen mag, jemand ansprechen. Und wenn auch dieser Jemand, den wir ansprechen, von uns durchaus als Fiktion gemeint ist, so bleibt der Verfasser nicht gefeit vor den Folgen: daß nämlich ein Leser, ein leibhaftiger, sich angesprochen fühlen kann und daß der Verfasser, ob es ihm paßt oder nicht, eine Wirkung angetreten und eine gesellschaftliche Verantwortung übernommen hat. RA 1958/2

Warum schreibe ich? Ich möchte antworten: aus Trieb, aus Spieltrieb, aus Lust. Ferner aus Eitelkeit; man ist ja

auch eitel. Aber das reicht nicht für eine Lebensarbeit;
das verbraucht sich an Mißerfolgen, und wenn es zum
Erfolg kommt, verbraucht es sich an der Einsicht, wie un-
zulänglich vieles ist. Warum schreibe ich dennoch weiter?
Was sich nicht verbraucht, ist das Bedürfnis (ebenso ur-
sprünglich wie der Spieltrieb) nach Kommunikation;
sonst könnte man ja seine Versuche in der Schublade
lassen. Also, ich schreibe aus Bedürfnissen nicht der Gesellschaft, sondern meiner Person. Möglicherweise aus
jener Angst, die schon die Höhlenbewohner zu Bildnern
machte: man malt die Dämonen an die Wand seiner
Höhle, um mit ihnen leben zu können, es brauchen nicht
Büffel zu sein, oder man malt an die Wand (wie in den
Gräbern von Tarquinia) die Freude, die sonst so sterb-
liche Freude. Dies alles, auch wenn Kunstverstand sich
dabei entwickelt, beginnt durchaus naiv. Ich gestehe:
Eine Verantwortung des Schriftstellers gegenüber der
Gesellschaft war nicht vorgesehen; sie pflegt sich einzu-
schleichen von einem gewissen Erfolg an, und einige mögen sie rundweg ablehnen, anderen gelingt das nicht.
Das spätere Selbstmißverständnis, daß ich aus Verantwortung heraus schreibe, hat mir manchen Entwurf ver-
dorben; aber die Einsicht, daß dies ein Mißverständnis
gewesen ist, ändert wiederum nichts daran, daß eine
Verantwortlichkeit, wenn auch eine nachträgliche, sich
eingestellt hat als unlustiges Bewußtsein; es hat mit
»Auftrag« nichts zu tun, wenn ein Schriftsteller sich die
mögliche Wirkung überlegt von seiner Gesinnung her.
Dabei ist Gesinnung kein Vorsatz beim Schreiben, sondern eine Konstitution, die beim Schreiben weitgehend
unbewußt bleibt.   RA 1964/1

Jetzt komme ich um ein Geständnis nicht herum: daß ich meine Arbeit nie durch Theorie habe programmieren können. Daher ist es (in meinem Fall) immer verfänglich, wenn ich so tue, als gehe der Kunst-Verstand voraus, damit ich ihm dann folge. Hingegen liebe ich das Wort, das Sie brauchen: Recherche. Eigentlich kann ich immer nur durch Arbeit recherchieren, was gelingt, was nicht. Also Theorie allenfalls als Versuch einer Rechenschaft hinterher, aber nicht als Postulat. D, S. 21

Die Fabel, die den Eindruck zu erwecken sucht, daß sie nur so und nicht anders habe verlaufen können, hat zwar immer etwas Befriedigendes, aber sie bleibt unwahr: sie befriedigt lediglich eine Dramaturgie, die uns als klassisches Erbe belastet: Eine Dramaturgie der Fügung, eine Dramaturgie der Peripethie. Was dieses große Erbe anrichtet nicht nur im literarischen Urteil, sondern sogar im Lebensgefühl: im Grunde erwartet man immer, es komme einmal die klassische Situation, wo meine Entscheidung schlichterdings in Schicksal mündet, und sie kommt nicht. Es gibt große Auftritte, mag sein, aber keine Peripethie. Tatsächlich sehen wir, wo immer Leben sich abspielt, etwas viel Aufregenderes: es summiert sich aus Handlungen, die zufällig bleiben, es hätte immer auch anders sein können, und es gibt keine Handlung und keine Unterlassung, die für die Zukunft nicht Varianten zuließe. Der einzige Vorfall, der keine Variante mehr zuläßt, ist der Tod. Wird eine Geschichte dadurch exemplarisch, daß ihre Zufälligkeit geleugnet wird? Es geschieht etwas, es kann verschiedene Folgen haben

oder keine, und etwas, was ebenso möglich wäre, geschieht nicht; eine Gesetzmäßigkeit, die sich erkennen
läßt für die große Zahl, hat Wahrscheinlichkeitswert,
aber nicht mehr, und was geschieht, bedeutet nicht,
daß mit den gleichen Figuren nicht auch ein anderer
Spielverlauf hätte stattfinden können, eine andere
Partie als diese, die Geschichte geworden ist, Biografie
oder Weltgeschichte. Es wäre unsinnig zu glauben,
daß der 20. Juli nicht auch hätte gelingen können.
Kein Stückschreiber heute könnte als Notwendigkeit
verkaufen, daß jene Bombe, richtig gelegt, dann zu-
fälligerweise um einige Meter verschoben, vergeblich
krepierte. So war es halt. Und dasselbe gilt für irgendeine Geschichte. Jeder Versuch, ihren Ablauf als
den einzigmöglichen darzustellen und sie von daher
glaubhaft zu machen, ist belletristisch; es sei denn,
man glaube an die Vorsehung und somit (unter anderem) auch an Hitler. Das tue ich aber nicht. So
bleibt, damit eine Geschichte trotz ihrer Zufälligkeit
überzeugt, nur eine Dramaturgie, die eben die Zufälligkeit akzentuiert —   TaII, S. 87 f

Heimatliche Jahreszeiten

Pfannenstiel
Noch einmal eine Reihe von goldenen Tagen, die letzten
des Jahres. Die Morgen, wenn ich mit dem Rad an die
Arbeit fahre, sind kalt und feucht, das Laub klebt auf
den Straßen, der See ist silbergrau, und man sieht nur die
Bojen, die im Uferlosen schweben, einsam und ohne Boote,
spiegellos, und die weißen Möwen auf dem Geländer.
Meistens um elf Uhr, wenn auch die Glocken läuten, ent-

scheidet es sich. Noch findet man keinen Schatten, der die Sonne verrät; aber man spürt sie; es blinken die Ziffer- blätter an den Münstern. Der Nebel, wenn man gegen den Himmel schaut, flimmert wie bronzener Staub; plötzlich gibt es nur noch die Bläue; plötzlich ein Streifen zager Sonne, der über das Reißbrett fällt —

Noch einmal ist alles da: der Most und die Wespen, die in der Flasche brummen, die Schatten im Kies, die goldene Stille der Vergängnis, die alles verzaubert, die gackernden Hühner in der Wiese, das Gewimmel der braunen Birnen, die auf der Landstraße liegen, die Astern, die über einen Eisenzaun hangen, Sterne eines blutigen Feuers, das rings- um verrinnt, die bläuliche Luft unter den Bäumen; es ist, als nehme alles Abschied von sich selbst; das rieselnde Laub einer Pappel, der metallische Hauch auf dem gefal- lenen Obst, der Rauch von den Feldern, wo sie die Stau- den verbrennen. Drunten, hinter einem Gitter von Reben, glimmert der See. Die Sonne verrostet schon im Dunste des mittleren Nachmittags, und dann der Heimweg ohne Mantel, die Hände in den Hosentaschen, das feuchte Laub, das nicht mehr rascheln will, die Gehöfte mit einer Trotte, die tropfenden Fässer in der Dämmerung, die roten Later- nen einer Schifflände im Nebel. — TaI, S. 141 f

Pfannenstiel

Schon wieder die ersten Knospen! Die langen Weiden- zweige hangen wie grüne Perlenschnüre, sie erinnern an die klingelnden Schleier in gewissen Wirtschaften, und allenthalben zwitschern die Vögel, Bläue schwimmt durch das spröde Gezweig, die Sonne scheint überall hin, Büsche und Sträucher sind wie ein Sieb. Irgendwie ist es zuviel, vor allem das Zwitschern der Vögel; wenigstens riecht es

nach Jauche, wenn man über die Felder wandert, und
in den Gehöften gackert es von weißen Hühnern. Manchmal kommt eine Wolke, und man ist froh um den Mantel,
aber herrlich flattert die Wäsche, die draußen über den
grünen Wiesen hängt, sie knallt wie eine Peitsche, und es
glitzert der Brunnen, sein verwehtes Wasser plätschert
über den Trog. Die vertrauten Fassaden unsrer Bauern-
häuser, man bemerkt sie stärker als sonst; es blinken ihre
niedren Fensterreihen, ihre Scheiben voll kleiner Sprossen,
die noch von keinen Blumen umrankt sind, von keinem
Weinlaub überschattet; die Spaliere sind nichts als ein
Gitter von schlanken und bläulichen Schatten, eine schwe-
bende Arabeske über verblaßtem Vitriol ihrer Mauern.
Flieger über sich am Himmel. In den Schulhäusern, wenn
man durch die Dörfer geht, singen sie bereits bei offenem
Fenster, chorweise, daß es hallt über den öden Platz mit
Recken und gestutzten Platanen, und irgendwo aus einem
Tobel jault eine Sägerei, daß es durch Mark und Bein
geht, und auf den Friedhöfen, wo die ersten Blumen wachsen, verrechen sie den Kies. Stundenlang wandere ich über
gelassene Hügel. Die Wege sind weich, man muß auf dem
Rande gehen; wie gläserne Scherben liegen die Tümpel
darin, Räderspuren und Hufe, die den Himmel spiegeln.
Man stapft durch Wälder, die fast ohne Schatten sind;
nur selten gibt es noch ein Loch mit verschmutztem Schnee,
körnig und grau und von Tannennadeln übersät; über
einer Kiesgrube sehe ich den ersten Schmetterling. Man
kann sich kaum verirren, so durchsichtig ist alles, und
wenn man wieder hinauskommt, wogt es weiter mit Hügeln und braunen Mulden, Birken stehen am Rand eines
Moores, und auf finsterem Acker dampfen die Rosse, sie
ziehen den Pflug, die Egge, oder man verzettelt den Mist;
immer bleibt die verblauende Ferne hinter schwarzen

Apfelbaumzweigen. Gebirge hangen jenseits über Räumen voll silbernem Dunst, ein Gleißen von schmelzendem Schnee; die Luft ist voll Verheißung, die Luft ist voll Ostern, und es ist mir, als wäre gestern erst Frühling gewesen —.

Wenn es stimmt, daß die Zeit nur scheinbar ist, ein bloßer Behelf für unsere Vorstellung, die in ein Nacheinander zerlegt, was wesentlich eine Allgegenwart ist; wenn alles das stimmt, was mir immer wieder durch den Kopf geht, und wenn es auch nur für das eigene Erleben stimmt: warum erschrickt man über jedem Sichtbarwerden der Zeit?

Als wäre der Tod eine Sache der Zeit.   TaI, S. 170 f

Noch einmal ist alles da, die Wespen in der Flasche, die Schatten im Kies, die goldene Stille der Vergängnis, alles wie verzaubert, die gackernden Hühner in der Wiese, das Gewimmel von braunen und überreifen Birnen, die auf der Landstraße liegen, die Astern, die über einen Eisenzaun hangen, Sterne eines blutigen Feuers, das ringsum verrinnt, die bläuliche Luft unter den Bäumen; es ist, als nehme alles Abschied von sich selbst; das rieselnde Laub einer Pappel, der metallische Hauch auf dem gefallenen Obst, der Rauch von den Feldern, wo sie Stauden verbrennen, und hinter einem Gitter von Reben glimmert der See; die Sonne verrostet schon im Dunste des mittleren Nachmittags, und dann der Heimweg ohne Mantel, die Hände in den Hosentaschen, das feuchte Laub, das nicht mehr rascheln will, die Gehöfte mit einer Trotte, die tropfenden Fässer in der Dämmerung, die roten Laternen an einer Schifflände im Nebel . . . Das ist der Herbst hier, und ich sehe auch den Frühling. Ich sehe ein ziemlich jun-

ges Paar: sie stapfen querfeldein, und die Felder, vom
Schmelzwasser getränkt, schmatzen unter ihren Schritten,
weich, dunkel wie ein nasser Schwamm, Föhn geht dar-
überhin, und die Sonne gibt warm, sie gehen ganz den
verlockenden Zufällen des Geländes entlang und stets in
einem kameradschaftlichen Abstand, allenthalben riecht
es nach verzetteltem Mist, es gurgeln die Quellen, sie käm-
men das Gras der Böschungen, und die laublosen Wälder
stehen voll märzlichem Himmel zwischen ihren Stämmen;
zwei braune Ackergäule, die dampfen, ziehen den Pflug
über gelassene Hügel, in schwarzen Schollen klafft die
Erde nach Licht. Seltsames Wiedersehen nach Jahren! Sie
plaudern über Lebensalter, jung wie sie sind, und wissen
bereits: Für jedes Lebensalter, ausgenommen das kindliche, bedeutet die Zeit ein gelindes Entsetzen, und doch
wäre jedes Lebensalter schön, je weniger wir verleugnen
oder verträumen, was ihm zukommt, denn auch der Tod,
der uns einmal zukommt, läßt sich ja nicht verleugnen,
nicht verträumen, nicht aufschieben. Wieviel er plaudert,
der junge Mann, von den zwei Zuständen seines Lebens,
von Arbeiten und Büßen, wie er es nennt, und Arbeiten,
das ist die Freude, das Fieber, die Erregung, da einer
nicht schlafen kann vor Jubel, ein Schrei über Stunden
und Tage hinweg, da einer vor sich selber davonlaufen
möchte, das ist das Arbeiten, der Übermut, der Menschen
gewinnt ohne Wollen, der niemand verpflichtet, nicht
bindet und nicht fordert, nicht rechnet und geizt, Gebärde
des Engels, der zum Nehmen keine Hände hat, das ist
das Glück, das Arbeiten mit allem holden Größenwahn
des Herzens, wo alles nur ein Nebenbei ist, alles nämlich,
was sich mit Menschen begibt, eine Zugabe, eine heitere
Vergeudung aus dem Überschuß der Freuden; später freilich zeigt es sich jedesmal, daß es das Höchste gewesen ist,

was zwischen Menschen möglich wird, unerreichbar, sobald es zum Ziel wird, zum Bedürfnis, zur dringenden Hauptsache. Jedesmal dieser plötzliche Einbruch der Schwermut, die nicht kommt, weil Menschen gehen, im Gegenteil; die Menschen gehen ja nur, weil die Schwermut kommt, sie wittern es Wochen voraus wie Hunde das Erdbeben, das alles Erbaute immer wieder verschütten wird, Asche über allem, Schwermut über allem wie schwarze flatternde Vögel über den rauchenden Stätten gewesener Freude, Schatten der Angst, das ist das Büßen, der Nachhall im Zweifel, das Grauen der unfruchtbaren Einsamkeit. [. .] . . . Das ist der Frühling hier, und im Sommer gackern die Hühner unter den hölzernen Tischen, das Weinlaub zu Häupten ist grün und dicht, der Himmel weißlich, der See wie mattes Blei, am Waldrand sirrt es von Bienen, über den reglosen Halmen hoher Wiesen zittert die Bläue voll zuckender Schmetterlinge, die Gebirge verlieren sich im Sonnenglast, und nun (kaum habe ich mein Gläschen geleert) ist es schon wieder Herbst; schon wieder dies alles: Körbe voll Laub, Nässe der Nebel und plötzlich der Mittag, ein Mittag wie jetzt, Gold in den Lüften, und die Zeit streicht wie eine unsichtbare Gebärde über die Hänge; Äpfel plumpsen. Wenn man jetzt durch Wälder geht, riecht es nach Pilzen. Hier riecht es nach Most. Wespen summen um die Süße der Vergärung, immer wieder Wespen, und in Früchten, zu kurzer Reife gedrängt, fällt uns die sommerliche Sonne noch einmal zu, Süße erinnerter Tage, man sitzt in den Gärten, unsere Haut spürt die Kühle des Schattens, und die Gärten werden weit wie ein jähes Erstaunen, leer, aber heiter, eine bläuliche Geräumigkeit füllt die leeren Wipfel der Bäume, und wieder lodert das Welken an den Hausmauern empor, klettert das letzte Laub in glühender Brunst der Vergäng-

nis. Daß Jahre vergehen und manches geschieht, wer sieht
es! Alles ist eins, Räume voll Dasein, nichts kehrt uns
wieder, alles wiederholt sich, unser Dasein steht über uns
wie ein Augenblick, und einmal zählt man auch die
Herbste nicht mehr, alles Gewesene lebt wie die Stille
über den reifenden Hängen, am Weinstock des eigenen
Lebens hangen die Trauben vom Abschied. Gehe vorbei!
Noch einmal in solchen Tagen verlockt der See; man spürt
die Haut, wenn man jetzt schwimmt, die Wärme des eigenen Blutes, man schwimmt wie in Glas, man schwimmt
über den schattigen Gründen der Kühle, und am Ufer
verscherbeln die glänzenden Wellen; draußen schwebt ein
Segel vor silbernem Gewölk, ein Falter auf versponnenem
Blinken, Tücher voll flimmernder Milde der Sonne über
verlorenen Ufern aus Hauch. Für Augenblicke ist es, als
stünde die Zeit, in Seligkeit benommen; Gott schaut sich
selber zu, und alle Welt hält ihren Atem an, bevor sie in
Asche der Dämmerung fällt . . .   S, S. 461 f

Dank an Kollegen und Zeitgenossen

Daß ein Mensch, den wir überleben, unersetzbar bleibt,
beruht weniger auf der nennbaren Leistung, die er hinterläßt, als auf dem Geheimnis, das er mit sich nimmt,
und das Geheimnis läßt sich nicht rühmen.   RA 1959

Ich blieb drei Tage; unser Abschied fand in den ersten
fünf Minuten statt. Dabei kam es zu einer Geste von
meiner Seite, die mich mehr überraschte als ihn; Suhrkamp nahm sie an, es blieb bei unserem Sie, das wir vor
Jahren als endgültig beschlossen hatten, einem Sie, das

kostbar war in seiner Richtigkeit und offen aller Herzlichkeit, sogar Zärtlichkeit, richtig für die persönliche
Anteilnahme, die nie in Anbiederung überging. RA 1959

Hinweis auf Ludwig Hohl
... Am Rang dieses eigentümlichen Werks habe ich zusammen mit einigen anderen, vor allem Jüngeren, nie
gezweifelt; daß die Verleger, aufmerksam gemacht, nie
eingestiegen sind, ist verwunderlich und auch wieder
nicht verwunderlich, da die Sprachleistung doch so offensichtlich ist, aber Ludwig Hohl deckte sich niemals mit
der Nachfrage auf dem intellektuellen Markt, tut's auch
heute nicht — und besteht trotzdem oder gerade drum
und nicht einmal als sogenannter Geheimtip: sein Werk
besteht seit Jahrzehnten. Wieviele Werke tun das, wenn
nicht Ruhm sie in permanenter Mode hält? Ein Werk,
angelegt vor dreißig Jahren, vor dem Zweiten Weltkrieg,
oder literarisch datiert: vor dem Kafka-Ausbruch, vor so
manchem Klassikerwechsel, vor der postumen Krönung
eines Wittgenstein, vor den Sprachexperimenten, die
heute zur Pflichtkür jedes Mittelbegabten gehören, und
vor der Ausrufung der »Texte«, dabei kein propheti-
sches Werk, also nicht postum aktuell, weil die Zeitge-
schichte es bestätigt, aber virulent jetzt wie vor Jahrzehnten und lesbar, als wäre es jetzt entstanden, abseitig-ge-
genwärtig, »unberühmt«, aber vorhanden, als Sprache
akut, ich denke, das ist Rang... RA 1967

Spricht dieser Büchner nicht wie ein Heutiger?
Vor die Wahl gestellt, ein Engagement auf die Dogmen
des Ostens oder ein Engagement auf die Dogmen des

Westens einzugehen, entscheiden sich die meisten von uns (nach ihren Werken zu schließen) für l'art pour l'art, was meistens eine Tarnung ist. Was bleibt uns andres übrig, um wahrhaftig zu bleiben? Wir können das Arsenal der Waffen nicht aus der Welt schreiben, aber wir können das Arsenal der Phrasen, die man hüben und drüben zur Kriegführung braucht, durcheinanderbringen, je klarer wir als Schriftsteller werden, je konkreter nämlich, je absichtsloser in jener bedingungslosen Aufrichtigkeit gegenüber dem Lebendigen, die aus dem Talent erst den Künstler macht. Alles Lebendige hat es in sich, Widerspruch zu sein, es zersetzt die Ideologie, und wir brauchen uns infolgedessen nicht zu schämen, wenn man uns vorwirft, unsere Schriftstellerei sei zersetzend. Wir brauchen's nicht an die große Glocke zu hängen; aber das ist ja unser Engagement! Was die Zeitungen, im Auftrag der Macht, täglich in schlachtbereite Fronten bringen, wir zersetzen es mit jeder echten Darstellung einer Kreatur. Indem wir keine Stellung nehmen (so sagt man doch?) zu Alternativen, die keine sind, haben wir durchaus eine Wirkung. Seien wir diesbezüglich unbesorgt! Was hassen sie denn mehr, hüben wie drüben, als Darstellung vom Menschen, die das Hüben und Drüben aufhebt?   RA 1958/1

Wir haben Georg Büchner zu melden: Die Republik, zu seiner Zeit noch ein gefährliches Wort, ist ausgerufen hüben und drüben. Ein durchgreifender Wohlstand findet sich nicht nur, wenn ihr euch Zürich nähert; die Sorge, von einer adligen Kutsche überfahren zu werden, ist unsere geringste, und zudem ist jedermann versichert. Der Kapitalismus kann es sich leisten, sozialer zu sein als seine Gegner, und die Unterdrückung ist ohne Willkür; kein Rechtdenkender kommt heute ins Gefängnis, und von Inquisition kann nicht die Rede sein, jedenfalls geht die Inquisition wo immer möglich nicht über Boykott hinaus; jedenfalls stellt uns niemand nach, wenn wir von unsrer Freiheit reden, im Gegenteil, wir sollen von unsrer Freiheit reden, je lauter um so lieber, und wenn wir nicht von Freiheit reden, so nur, weil die Regierungen selbst soviel davon reden, und in der Tat, nehmt alles nur in allem, wenigstens über Gott, wenn auch nicht über Atomwaffen, dürfen wir befinden, wie wir wollen — Georg Büchner würde staunen! Und doch, wieder unter uns Zeitgenossen gesprochen, fühlen wir uns kaum wohler als sein Hauptmann: »s' ist so was Geschwindes draußen!« Man fühlt das Rasiermesser am Hals.   RA 1958/1

6. 4. 71. Dinner mit Jorge Luis Borges. Der Dichter ist 72 und blind, monologisch; wenn die andern am Tisch sprechen, sieht er ja nicht, wer jetzt zu ihm spricht, und so ist es ihm wohler, wenn er wieder selber spricht. Dann und wann fragt er höflich, wer jemand sei, sein offenes Auge ins Leere gerichtet. Sein großes Wissen. Grandseigneur. Er trägt seinen Ruhm wie einen Ruhm von Geburt, unbeflissen und selbstverständlich. Die Tischnachbarin zeigt ihm, welches Glas mit Wasser gefüllt ist, welches mit Wein; dann macht er's mit dem Gedächtnis. Als es auskommt, daß ich Schweizer bin, weiß er sogar Mundartliches: »Das isch truurig.« Überhaupt ein manischer Linguist. Er hat Gottfried Keller im Original gelesen. Er schätzt (indem er mich anzublicken meint) mein Land: Gstaad, Wengen, Grindelwald, was alles ich nicht kenne. Aber eigentlich spricht er ausschließlich über Literatur in einem sehr guten Englisch.   TaII, S. 387

Viel zum Lachen, wie immer, wenn Friedrich Dürrenmatt
das thematische Menü bestimmt... Neulich gab es
Dschingis-Khan, frisch von der Lektüre, üppig garniert
mit chinesischen Dynastien, Historie gespickt mit Flun-
kern, auf Witz gegrillt. Heute gab es DER NACKTE AFFE,
ebenfalls köstlich zubereitet: Mensch am Spieß der Zoo-
logie, geröstet auf Fakten (Blutdruck beim Coitus: 200)
und gespickt mit Spekulationen aus seinem eignen Garten. Kommt man mit thematischen Wünschen, so ist es
schade; es ist immer am köstlichsten, was der Koch sich
selber wählt. Unlängst im Spital zu Bern gab es Proust,
eingelegt in schlaflosen Essig, dann mit frischem Gedächtnis serviert und am Krankenbett flambiert mit
Witz. Das war Vier-Stern! So etwas kann man nicht
nochmals bestellen, um auch seine Frau in den Genuß zu
bringen; heute gibt es keinen Proust, nicht einmal kalt.
Heute also Berner Platte: DER NACKTE AFFE, verkocht
mit Ulk über Ärzte, Innereien aus Konolfingen, schmack-
haft durch Dramaturgie, dazu Kalbskopf aus der ein-
schlägigen Literatur-Kritik, gepfeffert mit Zitat. Dazu
Veltliner. Nachher gibt er mir das Taschenbuch, dem er
seine Kenntnisse verdankt. Ich werde mich hüten das
Taschenbuch zu lesen. Erstens ist es immer besser, was er
draus gemacht hat, und zweitens fasziniert ihn nicht
mehr, was auch der andere kennt. Neulich kam das Gespräch auf einen Godard-Film, den er nicht gesehen hat;
er wechselte auf einen andern Film, den er gesehen hat,
und als sich zeigte, daß wir den betreffenden Film ebenfalls kennen, unterbrach er das Gespräch: jetzt schil-
derte er einen japanischen Film, den außer ihm niemand
gesehen hat. Er braucht den Vorsprung, dann wird es
großartig und gemütlich. Früher war es jahrelang die
Astronomie, ich war jedesmal fasziniert von seinen Dar-

stellungen. Ein dickes Buch, das er mir gab, nahm ich
nach Korsika ins Zelt als einzige Lektüre für drei Wochen, und als ich ihn das nächste Mal besuchte, wußte ich
wenigstens das Einmaleins, meinte besser gerüstet zu sein
für die Gespräche über Astronomie; er sagte: Was interessant ist, weißt du, das ist die Biochemie. Er braucht
meine Unkenntnisse, und an solchen fehlt es nicht. Mein
Interesse an Astronomie hat sich trotzdem erhalten, seines
natürlich auch; nur unterhalten wir uns kaum noch darüber. Komme ich zur Super-Nova, so ist er längst bei
den Pulsaren. Einmal in Neuenburg gab es sich, daß
Theo Otto, der Bühnenbildner, sich ausgiebig für Architektur interessierte; Friedrich Dürrenmatt hörte zwar
lange zu, aber es machte ihn trübsinnig; er schlug vor,
daß wir Boccia spielen. Er gewann über alle Maße. Am
andern Tag, als er wieder ein Boccia vorgeschlagen hatte,
schien er weniger Glück zu haben, und die Partie kam
nicht zu Ende, er hatte jetzt Lust auf einen Apéritif, viel
zu sagen über Dramaturgie. Er bleibt der Gebende. Auch
neulich in Bern, im Spital, gab es einen sehr alten LATOUR-
Bordeaux; die Krankenschwester entkorkte für den Be
sucher, der wie sie den Spital-Ernst wahrte, während
Friedrich Dürrenmatt lachte. Zum Beispiel über das Versagen eines Arztes; ohne Beschwerde, er erzählt es ganz
als Komödie. Das ist mehr als Humor. Wir kennen uns
über zwanzig Jahre. Es stimmt nicht, daß er nicht zuhören könne. Als der Wirt in Schuls sich an unsern Tisch
setzt und einiges zu melden hat (wie die Bündner etwa
einen Aga Khan ausnehmen) und dann allerdings nur
noch quatscht, ist Friedrich Dürrenmatt ein Herkules im
Zuhören; es kommt auf den Partner an.   TaII, S. 251 ff

Versuche mit Liebe

Wir unterhalten uns lange über die Ehe; selbstverständlich
ganz allgemein. Mein Staatsanwalt hält die Ehe (offenbar
haben ihn gewisse Erfahrungen daran zweifeln lassen) für
durchaus möglich, wenn auch schwierig. Natürlich meint
er die wirkliche, die lebendige Ehe. Zu den Voraussetzungen rechnet er unter anderem: das beidseitige Bewußtsein
davon, daß wir kein Anrecht haben auf die Liebe unseres
Partners; die lebenslängliche Bereitschaft für das Lebendige, selbst wenn es die Ehe gefährdet, und also eine
immer offene Tür für das Unerwartete, nicht für Aben-
teuerchen, aber für das Wagnis; in dem Augenblick, wo
zwei Partner glauben, einander sicher zu sein, haben sie
sich meistens schon verloren. Ferner: die Gleichberechtigung von Mann und Frau; Verzicht auf die Meinung, daß
die geschlechtliche Treue hinreiche, und ebenso auf die
andere Meinung, daß es ohne geschlechtliche Treue überhaupt keine Ehe gebe; eine möglichst weitgehende und
lautere, nicht aber rücksichtslose Offenheit in allen Nöten
dieser Art. Und wichtig scheint ihm auch der gemeinsame
Mut gegenüber der Umwelt; ein Paar hat bereits aufgehört,
ein Paar zu sein, wenn einer der beiden Partner oder beide
Partner sich mit der Umwelt verbünden, um den anderen
Partner unter Druck zu setzen; ferner die Tapferkeit, ohne
Vorwurf denken zu können, daß der Partner vielleicht
glücklicher wird ohne uns; ferner die Fairneß, nie dem
Partner einzureden oder sonstwie glauben zu machen, daß
sein Austritt aus der Ehe uns töten würde usw. . . . .

S, S. 262 f

Möglicherweise sind es sogar nur wenige Frauen, die ohne
Schauspielerei jenen hinreißenden Sinnenrausch erleben,

den sie von der Begegnung mit dem Mann erwarten, glauben erwarten zu müssen auf Grund der Romane, die, von Männern geschrieben, immer davon munkeln; hinzukommt die eitle Lüge der Frauen unter sich, [...]
ANATOL L. STILLER   S, S. 128 f

Wenn Sie mit Frauen immer wieder dieselbe Erfahrung machen: denken Sie, daß es an den Frauen liegt, d. h. halten Sie sich infolgedessen für einen Frauenkenner?
                                                              TaII, S. 147

Ich will es nicht anders und schätze mich glücklich, allein zu wohnen, meines Erachtens der einzigmögliche Zustand für Männer, ich genieße es, allein zu erwachen, kein Wort sprechen zu müssen. Wo ist die Frau, die das begreift? Schon die Frage, wie ich geschlafen habe, verdrießt mich, weil ich in Gedanken schon weiter bin, gewohnt, voraus zu denken, nicht rückwärts zu denken, sondern zu planen. Zärtlichkeiten am Abend, ja, aber Zärtlichkeiten am Morgen sind mir unerträglich, und mehr als drei oder vier Tage zusammen mit einer Frau war für mich, offen gestanden, stets der Anfang der Heuchelei, Gefühle am Morgen, das erträgt kein Mann. Dann lieber Geschirr waschen!
WALTER FABER   HF, S. 128

Frühstück mit Frauen, ja, ausnahmsweise in den Ferien, Frühstück auf einem Balkon, aber länger als drei Wochen habe ich es nie ertragen, offen gestanden, es geht in den Ferien, wenn man sowieso nicht weiß, was anfangen mit dem ganzen Tag, aber nach drei Wochen (spätestens) sehne ich mich nach Turbinen; die Muße der Frauen am Morgen,

zum Beispiel eine Frau, die am Morgen, bevor sie ange-
kleidet ist, imstande ist, Blumen anders in die Vase zu
stellen, dazu Gespräch über Liebe und Ehe, das erträgt
kein Mann, glaube ich, oder er heuchelt.   WALTER FABER

HF, S. 128 f

Wenn Sie vernehmen, daß ein Partner nach der Trennung
nicht aufhört Sie zu beschuldigen: schließen Sie daraus,
daß Sie mehr geliebt worden sind, als Sie damals ahnten,
oder erleichtert Sie das?   TaII, S. 61

Der naturhafte und durch keine Gleichberechtigung tilg-
bare Unterschied zwischen Mann und Frau bestehe drin,
daß es immer der Mann ist, der in der Umarmung handelt.
Er bleibt er selbst, und das weiß die Frau; sie kennt ihn.
Sie will gar nicht wissen, was sie erraten kann. Umgekehrt
weiß der Mann keineswegs, wie eine Frau, wenn sie weg-
geht, in der Umarmung mit einem andern ist; er kann es
überhaupt nicht erraten. Die Frau ist ungeheuer durch
ihre fast grenzenlose Anpassung, und wenn sie von einem
andern kommt, ist sie nicht dieselbe; das geht, wenn es
einige Dauer hat, bis in ihre geistigen Interessen hinein
und ihre Meinungen, ihre Urteile. Wie die Frau, wenn
sie weg geht, weiter weg geht als der Mann, muß sie sich
verstellen, wenn sie zurückkommt, noch im Gespräch über
dies und jenes; drum will er wissen, was ihn nichts angeht;
die Frau von Geschmack wird es ihm nie verraten, während der Mann, im umgekehrten Fall, sie so gerne lang-
weilt, indem er erzählt. Als könne er, wenn er umarmt,
je sehr anders sein! Darauf beruht die Großmut der
gescheiten Frau, ihre unerträgliche Großmut, die uns an
unsere Begrenztheit erinnert.   SVOBODA   MNSG, S. 441 f

Eine obdachlose Liebe, man kennt das, eine Liebe ohne Wohnung im Alltag, eine Liebe, die auf die Stunden der Verzückung angewiesen ist, man weiß ja, früher oder später ist es eine verzweifelte Sache, Umarmungen im hohen Korn oder im nächtlichen Wald, eine Zeitlang ist es romantisch, aufregend, dann lächerlich, eine Erniedrigung, eine Unmöglichkeit, die auch mit allem Aufwand gemeinsamen Humors nicht mehr zu retten ist, [. . .]

S, S. 365

Wie erklären Sie es sich, daß Sie bei sich selbst oder beim Partner nach einer Schuld suchen, wenn Sie an Trennung denken?

Tall, S. 59

Recht & Ordnung

Das Wissen, daß es sehr verschiedene Grade der Unfreiheit gibt, doch keine Freiheit, obschon jeder sie ausruft, der uns unterdrücken will, dieses Wissen als unerläßliche Voraussetzung dafür, daß man sich nicht selber zum Narren macht und eines Tages, vom Einen enttäuscht und betrogen, nicht seinem Gegner verfällt mit ebenso kindischer Hoffnung.
Unterschied des Grades: ob sie dich beschimpfen und fälschen, und du kannst dich nicht wehren, oder ob sie dich verhaften und schinden, und du kannst dich nicht wehren. Ein Bürgersohn, ein Akademiker, viel belesen, viel gereist, beflissen, ein Mensch guten Willens zu sein und ein rechtschaffener Intellektueller — wenn er behauptet, unsere Gesellschaft sei die einzige, welche die Freiheit darstelle, kann man sagen, daß er lüge? Daß hierzulande ein jeder,

der begabt ist, seine Begabung schulen und ausüben könne, davon ist er ohne Wimperzucken überzeugt; betreten nur, erstaunt, peinlich berührt, daß ich es nicht bin. Ich erzähle Beispiele, die sein ehrliches Bedauern auslösen, ohne ihn grundsätzlich zu erschüttern; er hat zwei Arten von Antwort. Erstens: Alles, was ich anführe, sind Ausnahmen, Sonderfälle, Mißgeschicke. Zweitens: Ob ich denn glaube, der Kommunismus sei die Freiheit. Nicht zu erschüttern ist sein Glaube, daß es Freiheit geben kann, Freiheit für alle, daß es sie gibt — und zwar bei uns ... Er selber nämlich, das ist es, fühlt sich durchaus frei: wie jeder sich frei fühlt in jeder Gesellschaft, die seinen Vorteil schützt, so daß er mit ihr einverstanden ist.

Vielleicht ist das meiste, was uns als Lüge empört, in diesem Sinne durchaus keine Lüge, sondern redlicher Ausdruck einer Meinung, die sich ihrer Bedingtheit nicht bewußt ist. Lügen kann nur der Bewußte. Es wird viel weniger gelogen, als wir meinen. Lügen verbraucht Kraft, im Gegensatz zur Verlogenheit, Lügen ist durchaus eine Tat, eine luziferische. Lügen ist bewußtes Verschweigen eines andern Bewußtseins, erfordert Willen und ist stets ein Wagnis, wogegen die Verlogenheit, selbst wenn sie wörtlich das gleiche sagt, durchaus bieder bleibt, sittsam, behaglich — und drum ist der Verlogene nie widerlegt, nur entrüstet, wie man über eine Tempelschändung entrüstet ist; sein Tempel ist die Zuversicht, daß alles, was ihm am meisten frommt, die Wahrheit sei, nicht seine Wahrheit, sondern die Wahrheit schlechthin, die ewige, die unabänderliche, die unantastbare, die heilige — die unbedingte.

Voraussetzung der Toleranz (sofern es sie geben kann) ist das Bewußtsein, das kaum erträgliche, daß unser Denken stets ein bedingtes ist.

Toleranz ist immer das Zeichen, daß sich eine Herrschaft als gesichert betrachtet; wo sie sich gefährdet sieht, erhebt sich immer auch der Anspruch, unbedingt zu sein, also die Verlogenheit, das Gottesgnadentum meines Vorteils, die Inquisition. TaI, S. 202 ff

Die Unmöglichkeit, sittlich zu sein und zu leben — ihre Zuspitzung in Zeiten des Terrors. Womit arbeitet jeder Terror? Mit unsrem Lebenswillen und also mit unsrer Todesangst, ja, aber ebenso mit unsrem sittlichen Gewissen. Je stärker unser Gewissen ist, um so gewisser ist unser Untergang. Je größer eine Treue, um so gewisser die Folter. Und das Ergebnis jedes Terrors: die Schurken gehen ihm durch die Maschen. Denn der Terror, scheint es, eignet sich besonders zur Vernichtung sittlicher Menschen. Er ist auf eine gewisse Sittlichkeit berechnet; sein früheres oder späteres, aber unweigerliches Versagen hängt vielleicht damit zusammen, daß er die Sittlichkeit verbraucht, bis er niemanden mehr daran fassen kann. Und vor allem entwertet er auch das Leben, die Lust am Leben, bis es keinen übermenschlichen Mut mehr braucht, ein entwertetes Leben einzusetzen gegen ihn — nicht als Opfer in der Kiesgrube, wo es zu spät ist, nicht als sittlicher Märtyrer, sondern als unsittlicher Täter, bevor es zu spät ist: als Attentäter. TaI, S. 254

Gewisse sittliche Forderungen, glaube ich, wären längstens vergessen, wenn nicht die Unsittlichen, die sich von diesen Forderungen befreit haben, ein natürliches Interesse daran hätten, daß die anderen sich durch diese Forderungen fesseln lassen — das gilt für alle christlichen Forderungen, die den Besitz betreffen ... TaI, S. 254

Die Unmöglichkeit, sittlich zu sein und zu leben — oder
man läßt eben beides im Halben ... Die Sittlichkeit, wie
sie uns gelehrt wird, schließt immer schon die weltliche
Niederlage in sich; wir retten die Welt nicht vor dem Teufel, sondern wir überlassen ihm die Welt, damit wir nicht
selber des Teufels werden. Wir räumen einfach das Feld:
um sittlich zu sein. Oder wir räumen es nicht; wir lassen
uns nicht erschießen, nicht ohne weiteres, nicht ohne selber zu schießen, und das Gemetzel ist da, das Gegenteil
dessen, was wir wollen ...   TaI, S. 253

Ausflug aufs Land, UPSTATE NEW YORK, und wie
immer bei solchen Ausflügen: Wo ist man jetzt eigentlich?
Landschaft der Indianer, aber nur Schlangen soll es noch
geben. Paradies ohne Leute. Ein Schild an Bäumen: Ver-
brechen auf diesem Eigentum werden von der Polizei
geahndet. Haus aus Holz, weiß auf grünem Rasen in
einem Park, der ringsum übergeht in Wildnis, ein großer
Teich vermutlich mit Fischen und wieder das Schild: Ver-
brechen auf diesem Eigentum usw. Nach einer friedlichen
Weile sehen wir tatsächlich einen Fisch, sogar zwei. Der
Besitzer reist in Europa. Oder in Ägypten? Das Schild
meint nicht uns; wir haben den Schlüssel zum Haus,
Erlaubnis, all diese Natur zu benützen. Einiges blüht
gerade. Unser Begleiter, ein jüngerer Professor der Soziologie, war schon öfter als Gast hier, findet auch einen
Büchsenöffner. Wenn man vor dem Haus sitzt: einmal
ein Hase, sehr schöne Vögel, ein weißes Pferd grast allein
in der Gegend. Alles Eigentum, soweit man sieht. Zwei
Stunden von Manhattan. Nacht mit Pfiffen einer Eisenbahn, aber keine Schritte: keine Diebe. Am andern Morgen sind alle Hügel noch da, auch der Teich, die Vögel
usw.   TaII, S. 402 f

Wenn Sie nicht aus eignem Entschluß (wie der Heilige Franziskus), sondern umständehalber nochmals arm werden: wären Sie den Reichen gegenüber, nachdem Sie als Gleichgestellter einmal ihre Denkweise kennengelernt haben, so duldsam wie früher, wehrlos durch Respekt?

TaII, S. 262

Leben, ja

Wenn man von Frieden redet, was ist gemeint? Gemeint ist meistens nur die Ruhe, die durch Vernichtung eines Gegners erreicht wird. Ein amerikanischer Friede oder ein russischer Friede. Ich bin weder für diesen noch für jenen, sondern für den Frieden: den Nicht-Krieg. Wollen wir uns mit den Wörtern, die wir in den Mund nehmen, nichts vormachen, kann man mit vollem Ernst daran zweifeln, ob Friede überhaupt ein anständiges Wort ist, ein Wort, das etwas Mögliches bezeichnet, und das Unmögliche, das Bisher-Unverwirklichte, wieso soll es gerade unserem Geschlecht gelingen, das sich jedenfalls nicht durch sittlichen Schwung auszeichnet? Das einzig Besondere, was diesem unserem Geschlecht eignet, was es von allen vorherigen unterscheidet, ist seine grundsätzliche Lage: die technische Möglichkeit, eine gesamthafte Vernichtung durchzuführen, hat keine frühere Zeit besessen; der Krieg ist stets ein unvollkommenes Morden gewesen, örtlich beschränkt, sogar bei den sogenannten großen Glaubenskämpfen erlahmte er regelmäßig, bevor Gott die vollkommene Vernichtung der ketzerischen Partei gelungen war. Es fehlte nicht am Wahnsinn, das zu wollen, nur an den technischen Mitteln. Nun sind diese Mittel aber da, die nichts mehr zu wünschen übriglassen.

Das ist das Neue, das Entscheidende an unsrer Lage. Unser Zeitalter kann sich den Krieg nicht mehr leisten, ohne sich selber auszutilgen. Die Frage: ein Friede im wirklichen Sinn, also ein Friede mit dem Gegner, ist das überhaupt möglich? wird mehr und mehr zur Frage, ob das menschliche Leben schlechthin möglich ist.   TaI, S. 309

Zone des Lebens, wie dünn sie eigentlich ist, ein paar hundert Meter, dann wird die Atmosphäre schon zu dünn, zu kalt, eine Oase eigentlich, was die Menschheit bewohnt, die grüne Talsohle, ihre schmalen Verzweigungen, dann Ende der Oase, die Wälder sind wie abgeschnitten (hierzulande auf 2000 m, in Mexico auf 4000 m), eine Zeitlang gibt es noch Herden, weidend am Rand des möglichen Lebens, Blumen — ich sehe sie nicht, aber weiß es — bunt und würzig, aber winzig, Insekten, dann nur noch Geröll, dann Eis —   HF, S. 277

Ich sitze in meiner Zelle, Blick gegen die Mauer und sehe die Wüste. Beispielsweise die Wüste von Chihuahua. Ich sehe ihre große Öde voll blühender Farben, wo sonst nichts anderes mehr blüht, Farben des glühenden Mittags, Farben der Dämmerung, Farben der unsäglichen Nacht. Ich liebe die Wüste. Kein Vogel in der Luft, kein Wasser, das rinnt, kein Insekt, ringsum nichts als Stille, ringsum nichts als Sand und Sand und wieder Sand, der nicht glatt ist, sondern vom Winde gekämmt und gewellt, in der Sonne wie mattes Gold oder auch wie Knochenmehl, Mulden voll Schatten dazwischen, die bläulich sind wie diese Tinte, ja wie mit Tinte gefüllt, und nie eine Wolke, nie auch nur ein Dunst, nie das Geräusch eines fliehenden

Tiers, nur da und dort die vereinzelten Kakteen, senkrecht, etwas wie Orgelpfeifen oder siebenarmige Leuchter, aber haushoch, Pflanzen, aber starr und reglos wie Architektur, nicht eigentlich grün, eher bräunlich wie Bernstein, solange die Sonne scheint, und schwarz wie Scherenschnitte vor blauer Nacht — all dies sehe ich mit offenen Augen, wenn ich es auch nie werde schildern können, traumlos und wach und wie jedesmal, wenn ich es sehe, betroffen von der Unwahrscheinlichkeit unseres Daseins. Wieviel Wüste es gibt auf diesem Gestirn, dessen Gäste wir sind, ich habe es nie vorher gewußt, nur gelesen; nie erfahren, wie sehr doch alles, wovon wir leben, Geschenk einer schmalen Oase ist, unwahrscheinlich wie die Gnade.
Anatol L. Stiller   S, S. 32

Überhaupt der ganze Mensch! — als Konstruktion möglich, aber das Material ist verfehlt: Fleisch ist kein Material, sondern ein Fluch. Walter Faber   HF, S. 244

Freude
Die frohe Nachricht, daß es sich nachweislich nicht um Krebs handelt, gibt jemand nebenbei; sie betrifft nur ihn. Hingegen die Nachricht, daß jemand an Krebs gestorben ist oder in den nächsten Monaten sterben wird, scheint uns alle anzugehen, auch wenn wir gerade einen Anlaß zur Freude haben. Oft genügt schon eine Wetterlage, das Klima einer Stadt (Berlin zum Beispiel) oder das körperliche Wohlbefinden irgendwo, ein Bewußtsein von eigener Gegenwart, eine Speise, eine Begegnung auf der Straße, ein Brief usw., es gibt zahllose Anlässe zur privaten Freude. Warum notiere ich sie nicht? Die Freudengesänge,

die uns überliefert sind, bezogen sich immer auf einen
Anlaß zur außerpersönlichen Freude; solcher Anlaß
scheint uns zu fehlen. Die Landung auf dem Mond oder
Mars wird ihn nicht liefern. Die Revolutionäre verspre-
chen Gerechtigkeit, nicht Freude. Nur die Drogen-Gläu-
bigen sprechen von Freude; gemeint ist die Ekstase auf
der Flucht aus einer Welt ohne frohe Botschaft.

TaII, S. 111

Ich habe mich schon oft gefragt, was die Leute eigentlich
meinen, wenn sie von Erlebnis reden. Ich bin Techniker
und gewohnt, die Dinge zu sehen, wie sie sind. Ich sehe
alles, wovon sie reden, sehr genau; ich bin ja nicht blind.
Ich sehe den Mond über der Wüste von Tamaulipas —
klarer als je, mag sein, aber eine errechenbare Masse, die
um unseren Planeten kreist, eine Sache der Gravitation,
interessant, aber wieso ein Erlebnis?   WALTER FABER

HF, S. 33

Beruf: Schriftsteller

Ich weiß. Ein Grundzug der neueren Literatur ist das
Forscherhafte, ihr Thema ist Wahrheitsfindung, der
Mensch vor neuen Wirklichkeiten, die von der über-
lieferten Sprache nicht zu fassen sind. Ich weiß. Sogar
die Syntax, womit wir gerüstet sind, erweist sich als
untaugliches Instrument. Ein Arsenal von Meta-
phern, Schrotthaufen genannt, ist zum Verrosten bestimmt. So ist es immer von Zeit zu Zeit, das ist nicht
neu, aber immer aktuell. Schriftsteller im Laboratorium. Vielen von ihnen, nicht den unbedeutendsten,
geht es vorerst um methodische Experimente, wobei

das Objekt vergleichsweise belanglos sein mag; es geht um die Möglichkeit der Objektivität schlechthin. Die Frage: Wie verhielt es sich wirklich? kulminiert zur Frage: Können wir es je wissen? Schriftsteller nicht als Spielmänner, wie gesagt, sondern als Forscher in einer manchmal fast erbitterten Suche nach der Wirklichkeit. Ihre Resultate sind nicht Erzählung, sondern Texte (oder wie immer man es von Jahr zu Jahr nennt), und daß Genuß nicht aufkommt, spricht nicht dagegen; es geht um mehr, nicht um Vergnügungsreisen, sondern um Testflüge. Und daß Testflüge gefährlich sind, weiß man; manch einer endet ohne Landung, wertvoll auch so. Ich weiß. Ich glaube sogar, daß ich's verstehe. RA 1965/1

Sicher ist unser Verhältnis zum Handwerklichen in der Literatur (wo Handwerk ja nur im übertragenen Sinn zu verstehen ist) auch eine Sache des Lebensalters. Der jugendliche Schriftsteller neigt dazu, an der Begabung zu verzweifeln, sobald es nicht ohne Handwerk geht. Und wenn uns ein Gedicht, eine entscheidende Stelle der Erzählung, eine Szene, die nach Erlebnis aussieht, nicht in den Schoß gefallen ist wie eine Frucht, sondern von uns selbst gemacht werden muß, so hat man fast ein schlechtes Gewissen; denn man glaubt sich die Künstlerschaft nur, wo man ein glückhafter Dilettant ist. Woher solches Mißverständnis? Vielleicht haben es Schriftsteller andrer Sprachen insofern leichter, als das Axiom, das Gestammeltes echter sei als Gekonntes, in ihrem Sprachraum nicht geläufig ist. Man spricht von Kunst, wenn man von »métier« spricht; Handwerk hingegen, im Deutschen, bezeichnet etwas Biederes, Statthaftes, für das Nicht-Genie sogar Unerläßliches, aber es ist beileibe noch nicht das Künstlerische. Wird ein Kunstwerk als »Mache« bezeichnet, so ist es ja ein eindeutiges Verdikt, zu überbieten nur noch durch die Beschimpfung, ein Kunstwerk sei intellektuell. Es ist ein Ausdruck höflicher Geringschätzung, wenn wir von einem Gedicht sagen, es sei »gekonnt«. Wir wollen mehr als nur das Gekonnte (l'art pour l'art, das mag den Franzosen genug sein!) und sind in diesem hohen Anspruch so gierig, daß wir oft, erschüttert, mit einem Weniger zufrieden sind, nämlich mit einer bloßen Nichtkönnerschaft, die eben dadurch, daß sie nichts zur Evidenz bringt, den Eindruck erweckt, es sei etwas »dahinter«. Geht es aber in der Kunst nicht eben darum, das »Dahinter« hervorzubringen, zur Gestalt werden zu lassen? Das hieße: es zählt nicht, was hinter einem Kunstwerk ist, sondern nur was (durch das Kunstwerk) da ist, eben das Hervorgebrachte. Mitunter ist unser Erlebnis, das dahinter steht, einfach zu schwach, als daß es der Arbeit des Hervorbringens standzuhalten vermöchte, und was uns dann bleibt, ist wirklich bedeutungslos, nämlich Handwerk, das nichts hervorgebracht hat; aber das spricht nicht gegen das Handwerk. Was uns als junge Schriftsteller vielleicht vor allem verführt, das Metier zu unterschätzen, ja, geradezu die Vernachlässigung des Metiers zu demonstrieren, um auf die Echtheit unseres Erlebnisses hinzuweisen, ist auch der Umstand, daß Erstlinge oft eine traumwandlerische Vorwegnahme jener Souveränität zeigen, die der Meister aus beherrschtem und infolgedessen schon fast wieder unbewußtem Handwerk gewinnt. Beim Erstling handelt

es sich allerdings um eine Souveränität, die sich doch meistens, wenn die Persönlichkeit eigenständig wird, als entliehen und zufällig herausstellt. Es folgt die übliche Krise nach dem ersten Treffer, die so oft, wenn der Intellekt fehlt, zum künstlerischen Bankrott führt; oder was häufiger ist: wenn der Intellekt eben als etwas Verfemtes ausgeschlossen wird. Dann bleibt, was eben bleibt, wenn wir uns mit Eingebungen begnügen, nämlich jenes Vielversprechende, das nie eingelöst wird. Daß das Handwerk selbst die Kunst ist — Handwerk als das äußerst heikle, weil von persönlichen Gaben und Grenzen bedingte, daher von keinem Meister ohne weiteres übernehmbare, sondern nur aus der wachen Selbsterprobung zu entwickelnde Verfahren, Eingebungen in jenen Aggregatzustand umzuwandeln, wo sie mitteilbar werden, ohne daß man sie dabei ins Uneigene verliert — das ist eine Selbstverständlichkeit, so sollte man meinen, und wenn ich gestehen muß, daß es im eignen Fall durchaus keine Selbstverständlichkeit, sondern die Einsicht der Mannesjahre ist, so hat man ein mitleidiges Lächeln wohlverdient.
RA 1955

Eifersucht in der Liebe

Wenn es so weit ist: wenn der Blick zweier Augen, der Glanz eines vertrauten Gesichtes, den du jahrelang auf dich bezogen hast, plötzlich einem andern gilt; genau so. Ihre Hand, die dem andern in die Haare greift, du kennst sie. Es ist nur ein Scherz, ein Spiel, aber du kennst es. Gemeinsames und Vertrautes, jenseits des Sagbaren, sind an dieser Hand, und plötzlich siehst du es von außen, ihr Spiel, fühlend, daß es für ihre Hand wohl keinen Unterschied macht, wessen Haar sie verzaust, und daß alles, was du als euer Letzteigenes empfunden hast, auch ohne dich geht; genau so. Obschon du es aus Erfahrung weißt, wie auswechselbar der Liebespartner ist, bestürzt es dich. Nicht allein daß es nicht weitergeht, es bestürzt dich ein Verdacht, alles Gewesene betreffend, ein höhnisches Gefühl von Einsamkeit, so als wäre sie (du denkst sie auch schon ohne Namen) niemals bei dir gewesen, nur bei deinem Haar, bei deinem Geschlecht, das dich plötzlich ekelt, und als hätte sie dich, sooft sie deinen Namen nannte, jedesmal betrogen . . .

Anderseits weißt du genau:

Auch sie ist nicht die einzigmögliche Partnerin deiner Liebe. Wäre sie nicht gewesen, hättest du deine Liebe an einer anderen erfahren. Im übrigen kennst du, was niemanden angeht, nur dich: deine Träume, die das Auswechselbare bis zum völlig Gesichtlosen treiben, und wenn du nicht ganz verlogen bist, kannst du dir nicht verhehlen, daß alles, was man gemeinsam erlebt und als ein Letzt-Gemeinsames empfunden hat, auch ohne sie gegangen wäre; genau so. Nämlich so, wie es dir überhaupt möglich ist, und vielleicht, siehe da, ist es gar nicht jenes Auswechselbare, was im Augenblick, da ihre Hand in das andere Haar greift, einen so satanischen Stich gibt, im Gegenteil, es ist die Angst, daß es für ihre Hand vielleicht doch einen Unterschied macht. Keine Rede davon: Ihr seid nicht auswechselbar, du und er. Das Geschlecht, das allen gemeinsame, hat viele Provinzen, und du bist eine davon. Du kannst nicht über deine Grenzen hinaus, aber sie. Auch sie kann nicht über die ihren hinaus, gewiß, aber über deine; wie du über die ihren. Hast du nicht gewußt, daß wir alle begrenzt sind? Dieses Bewußtsein ist bitter

schon im stillen, schon unter zwei Augen. Nun hast du das
Gefühl wie jeder, dessen Grenzen überschritten werden
und dadurch sozusagen gezeigt, das Gefühl, daß sie dich
an den Pranger stellt. Daher bleibt es nicht bei der Trauer,
hinzu kommt die Wut, die Wut der Scham, die den Eifer-
süchtigen oft gemein macht, rachsüchtig und dumm, die
Angst, minderwertig zu sein. Plötzlich, in der Tat, kannst
du es selber nicht mehr glauben, daß sie dich wirklich
geliebt habe. Sie hat dich aber wirklich geliebt. Dich! —
aber du, wie gesagt, bist nicht alles, was in der Liebe möglich ist . . .
Auch er nicht!
Auch sie nicht!
Niemand!
Daran müssen wir uns schon gewöhnen, denke ich, um
nicht lächerlich zu werden, nicht verlogen zu werden, um
nicht die Liebe schlechthin zu erwürgen —.   TaI, S. 427 f

Unsere verhältnismäßige Treue war die Angst vor der
Niederlage mit jedem anderen Partner, [. . .]
ANATOL L. STILLER   S, S. 196

Er lernte kennen: ein nie vermutetes Quantum von Sentimentalität, die er bisher an sich selber nicht kannte, er
soff in sich hinein, bis er das Ristorante wegen Weinen
verlassen mußte; dann seine Primitivität, er gaffte jedem
einigermaßen sauberen Weiberrock nach und rettete sich
über Stunden nur mit dem Gedanken an die billigste Re-
vanche; dann seine Spießigkeit, er brachte es in vier Tagen
und vier Nächten (so sagt er) nur wenige Minuten zu
einem wirklichen Schmerz, der ihn auf die Knie warf in

einem blumigen Hotelzimmer, ohne daß es eine Pose war
oder Wirkung von Alkohol, und der den letzten Rest von
Vorwurf und den letzten Rest von Selbstmitleid verbrannte; vor allem aber seine Unfähigkeit, eine Frau zu
lieben, wenn er nicht ihr Götze war, zu lieben ohne Anspruch auf Dank, auf Rücksicht, auf Bewunderung und so
weiter. Es war eine Strapaze. In Kleidern auf seinem
eisernen Bett liegend, wobei er rauchte, quälte er sich mit
schamlos-genauen Vorstellungen, wie seine Gattin sich
dem andern hingibt; das war nicht die Strapaze, sondern
die Entspannung, die er sich gönnte. Die Strapaze war die
Einsicht, das unfreiwillige Eingeständnis, daß er sich über
das Niveau seiner Gefühle bisher doch sehr getäuscht
hatte, über seine Reife.   S, S. 277 f

Eifersucht als Beispiel dafür, Eifersucht als wirklicher
Schmerz darüber, daß ein Wesen, das uns ausfüllt, zugleich
außen ist. Ein Traumschreck bei hellichtem Tag. Eifersucht hat mit der Liebe der Geschlechter weniger zu tun,
als es scheint; es ist die Kluft zwischen der Welt und dem
Wahn, die Eifersucht im engern Sinn nur eine Fußnote
dazu, Schock: die Welt deckt sich mit dem Partner, nicht
mit mir, die Liebe hat mich nur mit meinem Wahn vereint.
                                                     MNSG, S. 420

Warum soll die Frau, die man liebt, nicht andere Männer
haben? Es liegt in der Natur der Sache.   MNSG, S. 288

Nationalität: Schweiz

Was ich meine: Die Schweizer haben Angst vor allem Neuen. Wir haben viele Schweizer auf allen Wissensgebieten, die ausgezeichnete Köpfe sind und darum auswandern, weil unser Schweizervolk Angst hat vor Ideen. Unser Land weiß nicht, was es mit dem Geld machen soll, aber wenn einer auftaucht mit einer schöpferischen Idee, muß er meistens ins Ausland, um Geld zu finden. Etwas Neues wagen wir erst dann, wenn die andern es schon ausprobiert haben. Wir leben in der Nachahmung, weil wir Angst haben vor dem Risiko, je besser es uns geht. Das ist komisch, aber wahr. Es wird nie so wenig gewagt, wie in der Konjunktur. Je besser der Arbeiter lebt, desto weniger ist er zu haben für eine Idee, sogar nicht einmal für die genossenschaftliche Idee. Es ist die Tendenz, nur nichts zu ändern. Es wird nichts mehr geändert, aber die Konjunktur ist nichts Ewiges, und darum haben wir Angst. Denn Geld kann jederzeit entwertet werden. Dann kommt es darauf an, wer Ideen hat, und dann sind es die anderen, die gewohnt sind, ihre Ideen und Probleme selber zu entwickeln. Ich frage Sie: Ist es so, wie ich sage, oder irre ich mich? Ich sage folgendes: Weil die heutige Schweiz lebt, als habe sie keine eigenen Ideen, weil die Ideen, die in der Schweiz auftauchen, nicht verwirklicht werden, und das allermeiste, was in der Schweiz verwirklicht wird, Nachahmung ausländischen Fortschrittes ist, darum die Angst. Ihre Symptome sind Minderwertigkeitsgefühl und Dünkel. RA 1957/1

Fremdenhaß
Wie steht es mit dem Fremdenhaß?

Ich kenne viele Landsleute, aber leider nicht aus allen
Bevölkerungsschichten; Bauern beispielsweise nicht. Beispiele von Fremdenhaß habe ich selber kaum erlebt; ich
muß aber annehmen, daß es ihn gibt. Fremdenhaß ist
natürlich. Er entspringt unter anderem der Angst, daß
andere in dieser oder jener Richtung begabter sein könnten; jedenfalls sind sie anders begabt, beispielsweise begabter in Lebensfreude, glücklicher. Das weckt Neid,
selbst wenn man der Bessergestellte ist, und Neid ist erpicht
auf Anlässe für Geringschätzung. Man ist tüchtig, aber
nun zeigt sich, daß andere es auch sind: aber ohne die
Mißmutigkeit, die wir nördlich der Alpen als Voraussetzung oder schon als Beweis von Tüchtigkeit zu betrach-
ten gewohnt sind. Daß die Südländer schmutzig sind, das
ist eine Hoffnung, dann sind wir, wenn wir in dieser Welt
nicht singen, dafür wenigstens sauberer; aber nicht einmal
diese Hoffnung bestätigt sich ohne weiteres: ein Landarzt
versichert mir, daß die Italiener, im Gegensatz zu einheimischen Kunden, mit gewaschenen Füßen kommen. Von
Rassenhaß in der Schweiz, wie es in italienischen Zeitungen heißt, würde ich nicht sprechen; Fremdenhaß genügt.
Das ist keine Ideologie, sondern ein Reflex. Das Fremde:
was man, auch wenn man Vorzüge daran sieht, nicht
übernehmen kann und infolgedessen ungern vor Augen
hat, weil es herausfordert zur Selbstprüfung. Da ist man
empfindlich, und es braucht wenig, daß man, um sich die
Selbstprüfung zu sparen, zu Verurteilungen übergeht: das
Fremde als das Schlechtere. Insofern ist jede Messerstoche-
rei eigentlich willkommen; da sieht man's wieder, daß
man besser ist. Das Kindermachen, was soll man dazu
sagen? Da manifestiert sich offenbar ein natürliches
Frauenstimmrecht, das uns zu schaffen macht, da werden
Ehemänner oder Liebhaber weggewählt, und das kann im

Privaten peinvoll sein, aber nicht verfassungswidrig in
einem Land, das auf den freien Wettbewerb schwört.
Aber auch wenn die Fremden, wie es sich für Fremde gehört, sehr brav sind, etwas bleibt schwierig: sie sind da.
Und wie beharrlich man sie auch als ausländische Arbeitskräfte bezeichnet, es sind Menschen. Wir geben ihnen
Baracken, und sobald es geht, auch Wohnungen; ein In-
serat in einer schweizerischen Zeitung, das einen Hühner-
stall für die Unterbringung von Italienern anbietet, darf
als unglückliche Ausnahme bezeichnet werden. Im allgemeinen sind wir nicht so. Im allgemeinen sind wir die
Erfinder des Pestalozzi-Dorfes. Vielleicht ist, was man an
Stammtischen hört, nicht einmal als Fremdenhaß zu be-
werten; es ist lediglich ein Ausdruck der Irritation, man
macht sich Luft und nicht viel mehr, beispielsweise keine
eigentlichen Krawalle, so daß die Fremden, nachdem die
Fremdenpolizei sie ratenweise zugelassen hat, von unserer
anderen Polizei geschützt werden müßten. Im allgemeinen
bleibt's bei Schimpfnamen, Unverständnis, das sich flegel-
haft im Recht fühlt; Herablassung ist noch kein Haß, nur
Ausdruck hilfloser Selbstgerechtigkeit. Die Konfrontation
mit einer andern Lebensart, das irritiert jenes Selbstbewußtsein, das der Einzelne bezieht aus dem sakrosankten
Eigenlob eines nationalen Kollektivs.   RA 1966

Ein kleines Herrenvolk sieht sich in Gefahr; man hat Arbeitskräfte gerufen, und es kommen Menschen. Sie fressen
den Wohlstand nicht auf, im Gegenteil, sie sind für den
Wohlstand unerläßlich. Aber sie sind da. Gastarbeiter
oder Fremdarbeiter? Ich bin fürs letztere: sie sind keine
Gäste, die man bedient, um an ihnen zu verdienen; sie
arbeiten, und zwar in der Fremde, weil sie in ihrem eige-

nen Land zur Zeit auf keinen grünen Zweig kommen.
Das kann man ihnen nicht übelnehmen. Sie sprechen eine
andere Sprache. Auch das kann man nicht übelnehmen,
zumal die Sprache, die sie sprechen, zu den vier Landes-
sprachen gehört. Aber das erschwert vieles. Sie beschwe-
ren sich über menschenunwürdige Unterkünfte, verbunden mit Wucher, und sind überhaupt nicht begeistert. Das
ist ungewohnt. Aber man braucht sie. Wäre das kleine
Herrenvolk nicht bei sich selbst berühmt für seine Humanität und Toleranz und so weiter, der Umgang mit den
fremden Arbeitskräften wäre leichter; man könnte sie in
ordentlichen Lagern unterbringen, wo sie auch singen
dürften, und sie würden nicht das Straßenbild überfrem-
den. Aber das geht nicht; sie sind keine Gefangenen, nicht
einmal Flüchtlinge. So stehen sie denn in den Läden und
kaufen, und wenn sie einen Arbeitsunfall haben oder
krank werden, liegen sie auch noch in den Krankenhäu-
sern. Man fühlt sich überfremdet. Langsam nimmt man es
ihnen doch übel. Ausbeutung ist ein verbrauchtes Wort,
es sei denn, daß die Arbeitgeber sich ausgebeutet fühlen.
Sie sparen, heißt es, jährlich eine Milliarde und schicken
sie heim. Das war nicht der Sinn. Sie sparen. Eigentlich
kann man ihnen auch das nicht übelnehmen. Aber sie sind
einfach da, eine Überfremdung durch Menschen, wo man
doch, wie gesagt, nur Arbeitskräfte wollte. Und sie sind
nicht nur Menschen, sondern anders: Italiener. Sie stehen
Schlange an der Grenze; es ist unheimlich. Man muß das
kleine Herrenvolk schon verstehen. Wenn Italien plötzlich seine Grenze sperren würde, wäre es auch unheimlich.
Was tun? Es geht nicht ohne strenge Maßnahmen, die
keinen Betroffenen entzücken, nicht einmal den betroffenen Arbeitgeber. Es herrscht Konjunktur, aber kein Entzücken im Lande. Die Fremden singen. Zu viert in einem

Schlafraum. Der Bundesrat verbittet sich die Einmischung durch einen italienischen Minister; schließlich ist man unabhängig, wenn auch angewiesen auf fremde Tellerwäscher und Maurer und Handlanger und Kellner und so weiter, unabhängig (glaube ich) von Habsburg wie von der EWG. Ganz nüchtern: 500 000 Italiener, das ist ein Brocken, so groß wie der Neger-Brocken in den Vereinigten Staaten. Das ist schon ein Problem. Leider ein eigenes. Sie arbeiten brav, scheint es, sogar tüchtig; sonst würde es sich nicht lohnen, und sie müßten abfahren, und die Gefahr der Überfremdung wäre gebannt. Sie müssen sich schon tadellos verhalten, besser als Touristen, sonst verzichtet das Gastland auf seine Konjunktur. Diese Drohung wird freilich nicht ausgesprochen, ausgenommen von einzelnen Hitzköpfen, die nichts von Wirtschaft verstehen. Im allgemeinen bleibt es bei einer toleranten Nervosität. Es sind einfach zu viele, nicht auf der Baustelle und nicht in der Fabrik und nicht im Stall und nicht in der Küche, aber am Feierabend, vor allem am Sonntag sind es plötzlich zu viele. Sie fallen auf. Sie sind anders. Sie haben ein Auge auf Mädchen und Frauen, solange sie die ihren nicht in die Fremde nehmen dürfen. Man ist kein Rassist; es ist schließlich eine Tradition, daß man nicht rassistisch ist, und die Tradition hat sich bewährt in der Verurteilung französischer oder amerikanischer oder russischer Allüren, ganz zu schweigen von den Deutschen, die den Begriff von den Hilfsvölkern geprägt haben. Trotzdem sind sie einfach anders. Sie gefährden die Eigenart des kleinen Herrenvolkes, die ungern umschrieben wird, es sei denn im Sinn des Eigenlobs, das die andern nicht interessiert; nun umschreiben uns aber die andern.   RA 1965/3

Persönlich gesprochen: unter den Menschen, denen ich in
Sympathie verbunden bin, weil ich ihnen Herausforderung und somit Anregung verdanke, sind die Ausländer
oder Halb-Ausländer in großer Zahl; ohne ihre Anwe-
senheit in unserem Land würde ich mich (darf ich's sagen?) weniger heimisch fühlen. Dabei denke ich in erster
Linie, aber nicht ausschließlich, an das Zürcher Schauspielhaus während des Krieges und in der Zeit danach; dieses
Institut, ohne die Emigranten nicht denkbar, hat wesentlich zu unserem Selbstverständnis beigetragen. Auch in
anderen Fällen wäre zu gestehen, daß Leute, die hier
leben, ohne unsere Mundart zu sprechen und ohne den
Gemeinderat zu wählen, nicht wegzudenken sind aus
einer Schweiz als unserer geistigen Heimat. Wir brauchen
Nicht-Schweizer. Und zwar nicht nur als Handlanger
oder Handelspartner, sondern intellektuell. Zwar können
wir reisen, aber das ist etwas anderes, das berührt das
Einheimische nicht; oder wir können auswandern, aber
das ist wieder etwas anderes. Ich habe mich einige Jahre
lang als Auslandschweizer versucht, um festzustellen: ich
brauche die Nicht-Schweizer in der Schweiz.   RA 1966

Was die Schweiz für viele Leute so anziehend macht, daß
sie sich hier niederzulassen wünschen, ist vielerlei: ein
hoher Lebensstandard für solche, die ihn sich leisten können; Erwerbsmöglichkeit; die Gewähr eines Rechtsstaates,
der funktioniert. Auch liegt die Schweiz, geographisch,
nicht abseits: sofort ist man in München oder Paris oder
Mailand oder Wien. Man muß hier keine abseitige
Sprache erlernen; wer unsere Mundart nicht versteht,
wird trotzdem verstanden in einer Sprache, in der er
überlegen ist. Nicht zu vergessen die Auswahl an Land-

schaften. Und so weiter. Nicht zuletzt aber, vermute ich,
ergibt sich eine Anziehung daraus, daß dieses Land keinen
politischen Sog hat; ich meine: man wird hier nicht in
Kämpfe verstrickt. Wer sich hier niederläßt, hat sich an
die Gesetze zu halten, aber diese sind nicht umstritten; er
wohnt nicht zwischen Revolutionären und Konterrevolu-
tionären, die ein Für und Wider abverlangen, und geschossen wird nur sonntags an geeigneten Plätzen. Der
Nicht-Schweizer kann die Schweiz auf sich beruhen lassen, sogar Schweizer können das. Er hat Steuern zu leisten,
aber keine Bekenntnisse. Er braucht nicht zu wissen, was
der Ständerat behandelt; hier droht kein Notstandsgesetz.
Wer Bundesrat wird, beschäftigt ihn weniger als die Wahlen in England. Die Währung gilt als stabil. Die Politik,
die die Schweizer beschäftigt, bleibt ihre Familien-
angelegenheit. Tatsächlich kenne ich keinen Ausländer
in der Schweiz, der sich einzumischen das Bedürfnis zeigt;
Jura-Frage oder Mirage-Affäre, das kümmert ihn weniger
als der Wetterbericht. Höchstens die Konjunkturdämp-
fung könnte ihn etwas angehen. Aber wenn er kein Neu-
ling im Lande ist, weiß er auch schon, daß alles, was hier
geschehen kann, ein Kompromiß ist, also maßvoll. Das
gefällt ihm an diesem Land, daß es ihn als Land ja nichts
angeht. Hier läßt sich leben, »Europäer sein«. Eine An-
hänglichkeit, wie sie sich nach Jahren einstellt auch bei
Leuten, die sich zuerst eher herablassend umgesehen haben, halte ich für ehrlich; oft entsteht fast eine Liebe zur
Schweiz, genauer vielleicht: eine Vorliebe, hier zu leben
und nicht anderswo, sagen wir: ein Gefühl unverbind-
licher Eingesessenheit. Von Überfremdung in dem Sinn,
daß wir von politischen Widersachern durchsetzt sind,
kann nicht die Rede sein; gerade die Leute, die sich nie-
dergelassen haben, rütteln ungern an dem Sessel: die

Schweiz ist ihnen gut genug. Und das ist sie auch: als Gebrauchsgegenstand. Nur wer sich mit dem Land identifiziert, sitzt unruhig. Kommt es dann zu Gesprächen, wo wir die heutige Schweiz in Frage stellen, so enden sie immer (und zwar ziemlich bald) mit Trost seitens der Nicht-Schweizer mit Aufenthaltsbewilligung: Euer Land ist schon in Ordnung. Ihr politisches Nicht-Interesse gibt sich als Takt; es ist dann, als belästige man die Freunde mit seiner Ehekrise, also peinlich, die Schweiz als Privatsache.   RA 1966

Tatsächlich haben Ausländer, die in der Schweiz wohnen, oft ein froheres Verhältnis zu diesem Land als unsereiner. Sie enthalten sich jeder fundamentalen Kritik; unsere eigene Kritik ist ihnen eher peinlich, sie möchten diesbezüglich verschont bleiben. Was, außer dem schweizerischen Bankgeheimnis, zieht sie an? Offenbar doch allerlei: Landschaftliches, die zentrale Lage in Europa, die Sauberkeit, Stabilität der Währung, weniger der Menschenschlag (da verraten sie sich gelegentlich durch pejorative Klischees), vor allem aber eine Art von Dispens: es genügt hier, daß man Geld und Papiere in Ordnung hat und auf keine Veränderung sinnt. Wenn nicht gerade die Fremdenpolizei sie ärgert, so ist die Schweiz für den Ausländer in der Schweiz kein Thema. Was sie genießen: Geschichtslosigkeit als Komfort.   TaII, S. 14

Brecht

Ich bin nur wenigen Menschen begegnet, die man als große Menschen erkennt, und befragt, wie sich die Größe von Brecht nun eigentlich mitgeteilt habe, wäre ich verlegen: eigentlich war es jedesmal dasselbe: kaum hatte man ihn verlassen, wurde Brecht um so gegenwärtiger, seine Größe wirkte hinterher, immer etwas verspätet wie ein Echo, und man mußte ihn wiedersehen, um sie auszuhalten, dann nämlich half er durch Unscheinbarkeit.

TaII, S. 42

Der Umgang mit Brecht, anstrengend wie wohl jeder Umgang mit einem Überlegenen, dauert nun ein halbes Jahr, und die Versuchung, solchem Umgang einfach auszuweichen, ist manchmal nicht gering. Es ist Brecht, der dann wieder einmal anruft oder auf der Straße, immer freundlich in seiner trockenen und etwas verhaltenen Art, fragt, ob man einen freien Abend habe. Brecht sucht das Gespräch ganz allgemein. Meinerseits habe ich dort, wo Brecht mit seiner Dialektik mattsetzt, am wenigsten von unserem Gespräch; man ist geschlagen, aber nicht überzeugt. Auf dem nächtlichen Heimweg, seine Glossen überdenkend, verliere ich mich nicht selten in einen unwilligen Monolog: Das stimmt ja alles nicht! Erst wenn ich dann ähnliche, ebenso leichtfertige, oft auch gehässige Erledigungen aus dem Mund von Drittpersonen höre, fühle ich mich genötigt, doch wieder nach Herrliberg zu radeln. Die bloße Neugierde, die man einem Berühmten gegenüber empfinden mag, würde auf die Dauer kaum ausreichen, um das Anstrengende dieser Abende, die stets zu einer Begegnung mit den eignen Grenzen führen, auf sich zu nehmen. Die Faszination, die Brecht immer wieder hat, schreibe ich vor allem dem Umstand zu, daß hier ein Leben wirklich vom Denken aus gelebt wird. (Während unser Denken meistens nur eine nachträgliche Rechtfertigung ist; nicht das Lenkende, sondern das Geschleppte.) Einem überragenden Talent gegenüber, was Brecht nebenbei auch ist, im Augenblick wohl das größte in deutscher Sprache, kann man sich durch Bewunderung erwehren; man macht einen Kniefall, wie die Meßknaben vor dem Altar, und die Sache beruht auf sich selbst, man geht weiter. Einer Haltung gegenüber genügt das nicht, und es liegen, gerade weil Brecht in bezug auf seine Person so uneitel ist wie wenige Menschen, ganz andere Ansprüche vor, Ansprüche, die mit Anbiederung nicht zu befriedigen sind; dabei erwartet Brecht wie vielleicht alle, die aus einer selbständigen Haltung leben, gar kein Einverständnis, im Gegenteil, er wartet auf den Widerspruch, ungnädig, wenn der Widerspruch billig ist, und gelangweilt, wenn er gänzlich ausbleibt. Man sieht es dann seinem strengen, bäurisch ruhigen, oft von Schlauheit etwas verschleierten, aber immer wachen Gesicht an, daß er zwar zuhört, auch wenn er es ein Geschwätz findet, sich zum Zuhören nötigt, aber hinter seinen kleinen versteckten Augen wetterleuchtet es von Widersprüchen; sein Blick flackert, die Ungeduld macht ihn eine Weile lang verlegen, dann angriffig, gewitterhaft. Seine Blitze, seine Glossen, gemeint als Herausforderung, die zum wirklichen Gespräch führen soll, zur Entladung und Auseinandersetzung, sind oft schon erschlagend durch die Schärfe des Vortrags; der Partner, besonders der neue und ungewohnte, schweigt dann mit verdutztem Lächeln, und Brecht bleibt nichts anderes übrig, als daß er, sich beherrschend, katechisiert, ernsthaft, etwas mechanisch, im Grunde verärgert, denn das ist nun das Gegenteil eines Gesprächs, wie er es erhofft hat, verärgert auch, daß so wenige wirklich durch die Schule des Marxismus gegangen sind, der Hegelschen Dialektik, des historischen Materialismus. Brecht will kein Dozent sein, sieht sich aber in der Lage eines Mannes, der über Dichtung sprechen möchte, und es endet, damit es nicht eine Schwafelei wird, mit einem Unterricht in elementarer Grammatik, wofür seine Zeit in der Tat zu kostbar ist; er tut es immerhin, denn eine bloße Schwafelei wäre ihm noch ärgerlicher, Unterricht ist wenigstens Unterricht, wenigstens nützlich für den andern, möglicherweise nützlich. Im Grunde aber, glaube ich, ist Brecht seinerseits froh, wenn er nicht katechisieren muß. Unser Gespräch wird fruchtbar immer dann, wenn ich ihm die Reflexion überlasse, meinerseits nur das Konkrete liefere, das es allerdings an sich hat, immer Widerspruch zu sein. Seine Haltung, und bei Brecht ist es wirklich eine Haltung, die jede Lebensäußerung umfaßt, ist die tägliche Anwendung jener denkerischen Ergebnisse, die unsere gesellschaftliche Umwelt als überholt, in ihrem gewaltsamen Fortdauern als verrucht zeigen, so daß diese Gesellschaft nur als Hindernis, nicht als Maßstab genommen werden kann; Brecht verhält sich zur Zukunft; das wird immer etwas Geharnischtes mit sich bringen, die Gefahr zeitweiliger Erstarrungen, die nichts mehr zulassen. Es ist auch in dieser Hinsicht nicht zufällig, daß Brecht zumal gegenüber den Schauspielern so unermüdlich für das Lockere wirbt, das Entkrampfte; sein eigenes Werk, wo es dichterisch ist, hat es auch immer im höchsten Grade. Das Lockere, das Entkrampfte: eine unerhörte Forderung innerhalb eines Lebens, wie Brecht es führt, eines Lebens in Hinsicht auf eine entworfene Welt, die es in der Zeit noch nirgends gibt, sichtbar nur in seinem Verhalten, das ein gelebter, ein unerbittlicher und durch Jahrzehnte außenseiterischer Mühsal niemals zermürbter Widerspruch ist.

Christen verhalten sich zum Jenseits, Brecht zum Diesseits. Das ist einer der Unterschiede zwischen ihm und
den Priestern, denen er, wie gerne er sie auch aus seiner
anderen Zielsetzung heraus verspottet, nicht so unähnlich ist; die Lehre vom Zweck, der die Mittel heilige, ergibt ähnliche Züge auch bei entgegengesetzten Zwecken.
Es gibt auch Jesuiten des Diesseits, und zuweilen ist es
gar nicht ihr Wunsch, ihre oberste Pflicht, verstanden zu
werden, nicht unter allen Umständen nämlich. »Fünf
Schwierigkeiten beim Schreiben der Wahrheit«, eine
kleine Schrift von 1934, zur geheimen Verbreitung im
Dritten Reich verfaßt, überschreibt ihren vierten Absatz:
»Das Urteil, jene auszuwählen, in deren Händen die
Wahrheit wirksam wird.« Und ihren fünften Absatz:
»Die List, die Wahrheit unter vielen zu verbreiten.« Das
muß man sich wohl vor Augen halten, insbesondere
wenn eine größere, zufällige Gesellschaft versammelt ist.
Denn eine friedliche und gerechtere Welt entwerfen und
sich vor die Kanonen stellen, um ihr Opfer zu werden,
das ist das Verhalten zum Jenseits, das heroische, nicht
das Verhalten zum Diesseits, das praktische, das notwen-
dende.   TaI, S. 285 ff

Am besten klappt unser Umgang, wenn das Gespräch,
das Brecht immer auch den Einfällen und Bedürfnissen
des andern überläßt, um Fragen des Theaters kreist, der
Regie, der Schauspielerei, Fragen auch des schriftstelle-
rischen Handwerks, die, nüchtern behandelt, unweigerlich zum Wesentlichen führen. Brecht ist ein unerschöpf-
licher Erörterer. Zusammen mit einem Kunstverstand,
der wissenschaftliche Methodik liebt, hat er eine kind-
hafte Gabe des Fragens. Ein Schauspieler, was ist das?

Was macht der? Was muß der Besonderes haben? Eine schöpferische Geduld, wieder von vorn anzufangen, Meinungen zu vergessen, Erfahrungen zu versammeln und zu befragen, ohne ihnen die Antwort aufzudrängen. Die Antworten, die ersten, sind oft von verblüffender Dürftigkeit. »Ein Schauspieler«, sagt er zögernd: »das ist wahrscheinlich ein Mensch, der etwas mit besonderem Nachdruck tut, zum Beispiel trinken oder so.« Seine fast bäurische Geduld, sein Mut, hilflos auf leerem Feld zu stehen, auf Entlehnungen verzichtend, die Kraft, ganz bescheiden zu sein und möglicherweise ohne Ergebnis, dann aber die Intelligenz, Ansätze einer brauchbaren Erkenntnis festzuhalten und durch Widerspruch sich entwickeln zu lassen, und endlich die Männlichkeit, Ergebnisse ernst zu nehmen und danach zu verfahren, unbekümmert um Meinungen, das sind schon wunderbare Lektionen, Exerzitien, die in einer Stunde leicht ein Semester aufwiegen. Die Ergebnisse freilich gehören ihm. Zu sehen, wie er sie gewinnt, ist unser Gewinn. Dann ist es Zeit, den Heimweg anzutreten; Brecht nimmt die Mütze und den Milchtopf, der vor die Haustüre gestellt werden muß. Brecht ist von einer seltenen Art unlaunischer, zur Geste gewordener, dennoch herzlicher Höflichkeit. Wenn ich das Rad nicht habe, begleitet er mich an die Bahn, wartet, bis man eingestiegen ist, winkt mit einer knappen, etwas verstohlenen Gebärde der Hand, ohne die graue Schirmmütze abzunehmen, was stillos wäre; den Leuten ausweichend verläßt er den Bahnsteig mit raschen, nicht großen, eher leichten Schritten, mit Armen, die auffallend wenig pendeln, und stets mit etwas schrägem Kopf, die Schirmmütze in die Stirn gezogen, als möchte er sein Gesicht verstecken, halb verschwörerisch, halb schamhaft. Er wirkt, wenn man ihn

so sieht, unscheinbar wie ein Arbeiter, ein Metallarbei-
ter, doch für einen Arbeiter zu unkräftig, zu grazil, zu
wach für einen Bauern, überhaupt zu beweglich für einen
Einheimischen; verkrochen und aufmerksam, ein Flücht-
ling, der schon zahllose Bahnhöfe verlassen hat, zu
schüchtern für einen Weltmann, zu erfahren für einen
Gelehrten, zu wissend, um nicht ängstlich zu sein, ein
Staatenloser, ein Mann mit befristeten Aufenthalten,
ein Passant unsrer Zeit, ein Mann namens Brecht, ein
Physiker, ein Dichter ohne Weihrauch . . .   TaI, S. 291 f

Plötzlich, bei einem nächsten Zusammentreffen, hatte er
wieder das Häftlingsgesicht: die klein-runden Augen irgendwo im flachen Gesicht vogelhaft auf einem zu nack-
ten Hals. Dabei konnte er grad sehr munter sein. Ein er-
schreckendes Gesicht: vielleicht abstoßend, wenn man
Brecht nicht schon kannte. Die Mütze, die Joppe: wie
von dem prallen Dessau entliehen; nur die Zigarre
steckte authentisch. Ein Lagerinsasse mit Zigarre. Man
hätte ihm ein dickes Halstuch schenken mögen. Sein
Mund fast lippenlos. Er war sauber, nur unrasiert; kein
Clochard; kein Villon. Nur grau. Sein Haarschnitt wirkte
dann wie eine Maßnahme gegen Verlausung oder wie
eine Schändung, die ihm angetan worden ist. Sein Gang:
da fehlten Schultern. Sein Kopf erschien klein. Nichts
von Kardinal, aber auch nichts von Arbeiter. Überhaupt
sah Brecht nie wie ein Arbeiter aus, das wäre ein Mißverständnis seiner Tracht; eher so, wie Caspar Neher
etwa einen Handwerker stilisieren würde, Tischler vielleicht: mit einem Kopf, daß die Römische Kirche nur in
ihren Fundus hätte greifen müssen, um einen sehenswer-
ten Kardinal zu haben. Jetzt aber, wie gesagt, war da

nichts vom Kardinal, und man ging neben einem Brecht, der einen verlegen machte wie ein Beschädigter. Er klagte über nichts, im Gegenteil, er rühmte die Giehse. Wir saßen im Café Ost, das es heute nicht mehr gibt, gegenüber einem leeren Stammtisch mit studentischem Couleur-Firlefanz. Was macht einen Schauspieler aus? Man überlegte, als habe Brecht nie eine Zeile darüber geschrieben. Er hatte Zeit, Lust zu sprechen, im Gespräch war er wach und lebhaft, alles andere als ein Geschädigter, denklustig. Erst draußen auf der Straße ging er wieder wie einer, der unser Mitleid erweckt, wie ein Geschundener, die graue Schirmmütze in die Stirn gezogen. Vor allem der Hals: so nackt. Er ging geschwind, aber die Arme machten nicht mit. Die graue Farmer-Jacke: als habe man ihn aus Beständen einer Anstalt eingekleidet, und nur das Bündel von Schreibstiften, die er immer in der oberen Tasche trug, war privat, die Zigarre unerläßlich, sonst wußte er nicht, wohin mit den Händen, und schob sie dann wie etwas Entblößtes flach in die Rocktaschen. TaII, S. 33 f

Ein andermal in Weißensee: »Man hat Ihnen Formalismus vorgeworfen. Was verstehen die Leute, die diese Anklage erheben, unter Formalismus?« Brecht versuchte es mit der leichten Schulter: »Nichts.« Es verdrießt ihn, daß ich genauer frage; er lehnt sich in seinen Arbeitssessel, raucht, gibt sich sorglos-belustigt: »Formalismus heißt, ich gefalle gewissen Leuten nicht.« Was ihn verdrießt, verrät der ungehaltene Nachsatz: »Im Westen hätten sie wahrscheinlich ein anderes Wort dafür.« Dann spricht man über anderes, und später erst, als ich dazu nichts mehr erwartete, in einem anderen Zusammen-

hang, kommt die eigentliche Antwort leichthin: »Daß
wir für die Schublade arbeiten, sehen Sie, das lernte man
in der Emigration. Vielleicht kommt eine Zeit, wo man
unsere Arbeit ausgräbt und brauchen kann.«   TaII, S. 41 f

Etwas in der Denkart von Brecht, sowohl im Gespräch
wie in den theoretischen Schriften, machte den Eindruck:
Das ist nicht er, das ist seine Therapie. Drum sind Brech-
tianer gefährdet: sie perfektionieren die Therapie gegen
ein Genie, das sie nicht haben.   TaII, S. 30 f

Empfanden wir Brecht als Deutschen? Als Bayern? Als
Weltbürger? Das letztere hätte er sich als Marxist ver-
beten. In einer Hinsicht wirkte er, verglichen auch mit
anderen Emigranten, sehr undeutsch: er analysierte auch
den Krieg, den Hitler ausgelöst hatte, nie in nationalen
Kategorien. (Später einmal in Weißensee, nach seiner
Meinung über bestimmte SED-Funktionäre befragt,
wurde er unwillig: »Vergessen Sie nicht, Frisch, es sind
Deutsche!« — Dieser Ton war eine seltene Ausnahme.)
Was Brecht aus seiner Emigration mitbrachte, war Im-
munität gegenüber dem »Ausland«; weder ließ er sich
imponieren dadurch, daß andere Leute andere Bräuche
haben, noch mußte er sich deswegen behaupten als Deutscher. Sein Zorn galt einem gesellschaftlichen System,
seine Achtung einem andern; die Weltbürger-Allüre, die
immer eine nationale Befangenheit kompensiert, erübrigt sich. Ein Augsburger mit Berlin als Arbeitsplatz,
ein Sprachgebundener, Herkunft nicht als Wappen,
aber als unvertauschbare Bedingtheit: die selbstverständliche Anerkennung dieser Bedingtheit; Dünkel wie

Selbsthaß, national-kollektiv, erweisen sich dann als Relikte, nicht der Rede wert. TaII, S. 25 f

Sicher ist Herzlichkeit nicht das erste, was auffiel an diesem Mann, der Rohstoff ungern preisgab, und Gefühle sind Rohstoff. Wärme in Worten, das war in seiner Gegenwart auch dem Partner nicht möglich; daß Brecht im persönlichen Umgang sich eines nahezu gleichen Vokabulars bediente für Duldung oder Achtung oder Zuneigung, gab ihm vorerst etwas Instanzhaftes. Seine Gestik (ich komme immer wieder auf seine Gestik: dabei war sie sehr knapp, manchmal fast mechanisch-stereotyp) leistete vor allem Parodie. Was mußte da immer wieder parodiert werden? Brecht muß die Sentimentalität sehr gekannt haben, und was nur von ferne hätte ein Gefälle dahin haben können, verbannte er. Seine Höflichkeit, die sich nicht in Floskeln ausdrückte, sondern im Verhalten bei der Begrüßung oder bei Tisch, eine graziöse Höflichkeit war das einzige, was er als Ausdruck der Zuneigung zuließ. Gemütlichkeit torpedierte er sofort, und wenn nötig, ziemlich grob. Er fühlte sich sichtlich nicht wohl. Nur im Gedicht, also unter artistischer Kontrolle, war gestattet, was Brecht sonst durch Witz und Gestik isolierte: Gefühle. Brecht war schamhaft. Waren Frauen zugegen, zeigte Brecht, im Gegensatz zu den meisten Männern, keinerlei Veränderung, keine Imponier-Geste; Frauen in Gesellschaft waren Genossen, somit neutralisiert, oder sie waren Gänse, die, als solche erkannt und behandelt, das Gespräch nicht lange störten. Dann zeigte Brecht mehr als sonst und so, daß man sich wunderte, Herzlichkeit gegenüber Männern. TaII, S. 38 f

Heimat

Die Summe unsrer Sitten und Unsitten, eine gewisse Gewöhnung, das Gemeinsame einer gleichen Umgebung, all
das ist nicht wertlos. Am gleichen Ufer gespielt zu haben,
natürlich hat es etwas Verbindendes; es für Wesensver-
wandtschaft anzusehen, wäre ein Irrtum, der uns früher
oder später, indem wir ihn nur als Enttäuschung erleben
und nicht als Irrtum erkennen, ungerecht macht. Heimat
ist unerläßlich, aber sie ist nicht an Ländereien gebunden.
Heimat ist der Mensch, dessen Wesen wir vernehmen und
erreichen. Insofern ist sie vielleicht an die Sprache gebunden. Vielleicht; denn in der Sprache allein ist sie ja nicht.
Worte verbinden nur, wo unsere Wellenlängen überein-
stimmen; das wiederum heißt nicht Einverständnis, das
es nirgends so häufig gibt wie unter Wesensfremden, die
einander mißdeuten, sondern Erreichbarkeit, und gerade
wo man sich unter anderen Bedingungen trifft, erleben
wir, durch keine gleichen Gewöhnungen getäuscht, das
Verwandte oft um so reiner, um so überraschender und
um so dankbarer, um so fruchtbarer.
(Sinn des Reisens.)   TaI, S. 403 f

Basel, März 1946
Eine Stunde droben beim Münster; die Vögel auf den
einsamen Bänken, die kühle und vornehme Stille des alten
Platzes, dessen Fassaden in einer dünnen Morgensonne
stehen; das plötzliche Gefühl von fremder Stadt; der
Rhein, wie er in silbernem Bogen hinauszieht, die Brük-
ken, die Schlote im Dunst, die beglückende Ahnung von
flandrischem Himmel —
Wie klein unser Land ist.

Unsere Sehnsucht nach Welt, unser Verlangen nach den großen und flachen Horizonten, nach Masten und Molen, nach Gras auf den Dünen, nach spiegelnden Grachten, nach Wolken über dem offenen Meer; unser Verlangen nach Wasser, das uns verbindet mit allen Küsten dieser Erde; unser Heimweh nach der Fremde —

Tal, S. 25

Viele Wörter, vor allem Wörter, die Dingliches bezeichnen, bietet die Mundart an; oft weiß ich kein hochdeutsches Synonym dafür. Schon das läßt die Umwelt, die dingliche zumindest, vertraulicher erscheinen, wo ich sie mundartlich benennen kann. Als Schriftsteller übrigens, angewiesen auf die Schriftsprache, bin ich dankbar für die Mundart; sie hält das Bewußtsein in uns wach, daß Sprache, wenn wir schreiben, immer ein Kunst-Material ist. Natürlich reden Mundart auch Leute, denen man nicht die Hand gibt oder nur unter gesellschaftlichem Zwang. Wenn wir uns überhaupt nicht kennen, so kann die Mundart, die gemeinsame, sogar befremden: zum Beispiel im Speisewagen eines T.E.E. von Paris nach Zürich; der Herr gegenüber, der mit dem Kellner das bessere Französisch spricht, eben noch urban und sympathisch, aber schon verleitet uns diese unsere Mundart: wir reden plötzlich nicht mehr, wie wir denken, sondern wie Schweizer unter Schweizern zu reden haben, um einander zu bestätigen, daß sie Schweizer und unter sich sind. Was heißt Zugehörigkeit? Es gibt Menschen, die unsere Mundart nicht sprechen und trotzdem zu meiner Heimat gehören, sofern Heimat heißen soll: Hier weiß ich mich zugehörig.

RA 1974

Wenn Sie die Zollgrenze überschreiten und sich wieder
in der Heimat wissen: kommt es vor, daß Sie sich einsamer
fühlen gerade in diesem Augenblick, in dem das Heimweh sich verflüchtigt, oder bestärkt Sie beispielsweise der
Anblick von vertrauten Uniformen (Eisenbahner, Polizei,
Militär usw.) im Gefühl, eine Heimat zu haben?

TaII, S. 383

Das Geläute ihres Münsters, ein metallisches Dröhnen,
das zweimal täglich losbricht, mindestens zweimal, wenn
nicht Hochzeiten und Begräbnisse hinzukommen, ein
Lärm, daß man seine eignen Gedanken nicht mehr hört,
ein Zittern der Luft, ein klangloses Beben, ein Gerausch,
wie wenn man von einem zu hohen Sprungbrett ins Wasser gesprungen ist, es macht mich taub, schwindlig, idio-
tisch; aber mein Verteidiger hat recht: er kann das Münster nicht anderswohin stellen!   ANATOL L. STILLER

S, S. 25

Zürich könnte ein reizendes Städtchen sein. Es liegt am
unteren Ende eines lieblichen Sees, dessen hügelige Ufer
nicht von Fabriken, jedoch von Villen verschandelt sind,
[...]
Vor allem entzückt mich die Lage ihres Städtchens, das
auf beiden Seiten von gelassenen Hügeln umarmt wird,
von natürlichen Wäldern, die zu ländlichen Wanderungen
locken, und in der Mitte glitzert ein grünes Flüßchen, das
die Richtung nach den großen Ozeanen verrät (wie allerdings jedes Gewässer) und daher stets etwas Lebendiges
erweckt, Sehnsucht nach Welt, nach Küsten. Drei Wochen
in Zürich zu verbringen, wenn man nicht im Gefängnis
wohnt, muß köstlich sein, gerade in dieser Jahreszeit. Es
gibt denn auch, wie man auf den Straßen hört, allerlei

Fremde. Nicht umsonst hat Zürich ein blauweißes Wappen; in dem blanken Licht seiner Föhnbläue, die, vom Weiß der Möwen verziert, auch dem Einheimischen viel Kopfweh verursachen soll, hat dieses Zürich tatsächlich einen eigenen Zauber, ein ›cachet‹, das mehr in der Luft zu suchen ist als anderswo, einen Glanz einfach in der Atmosphäre, der in seltsamem Widerspruch steht zum Griesgram wenigstens der einheimischen Physiognomien, und etwas geradezu Festliches, etwas Klingendes, etwas Schmuckes und Adrettes wie sein Wappen, etwas Blauweißes ohne viel besondere Merkmale. Es ist, so könnte man vielleicht sagen, eine Stadt, deren Reiz vor allem die Landschaft ist, und jedenfalls versteht man die Fremden, die am Quai aussteigen und knipsen, bevor sie weiterreisen nach Italien, und man versteht auch die Einheimischen, die stolz darauf sind, wenn man viel knipst. Ihr schmaler See, etwa von der Breite des Mississippi, blinkt wie eine krumme Sense in das grüne, das hügelwogende Land hinaus. Auch an Werktagen wimmelt es von kleinen Seglern. Bei aller Geschäftigkeit hat dieses Zürich, Treffpunkt der Kaufleute, etwas Kurorthaftes. Die Alpen sind zum Glück nicht so nahe wie auf den Ansichtskarten; in geziemender Ferne krönen sie das Gewoge der Vorberge, ein Gischt aus weißem Firn und bläulichen Gewölken. Vielleicht hat mir Julika nicht die wirklichen Viertel gezeigt; in der Erinnerung fällt mir auf, daß wir keinen einzigen Bettler getroffen haben, auch keine Krüppel. Die Leute sind zwar nicht mit Eleganz, jedoch mit Qualität gekleidet, so daß man nie Mitleid haben muß, und die Straßen sind sauber von Morgen bis Abend. [. . .]
Die Art und Weise, wie sie den modernen Verkehr zu regeln versuchen, ist für einen Fremden nicht ohne weiteres zu verstehen; dabei geben sich die Gendarmen die

größte Mühe und wirken sehr ernst, und vor allem geht
es ihnen um die Gerechtigkeit, scheint es, weniger um den
Verkehr; an jeder Straßenkreuzung fühlt man sich einer
Art moralischer Erziehung unterworfen. Je näher man
wieder zum See kommt, wo die Fremden gewissermaßen
ihre eigenständige Atmosphäre schaffen, die sie dann für
die Atmosphäre von Zürich halten, um so weniger fällt
es auf, wenn man fröhlich ist und auf offener Straße etwa
lacht; [...]
Es gibt hier viele Kongresse, überhaupt etwas Interna-
tionales mit großen und verstaubten Cars, mit Rudeln von
deutschen Lederhosen, und jede Kellnerin redet amerikanisch. Etwas Allerwelthaftes gehört zum Wesen dieses
Städtchens, das für den Fremden, wie gesagt, sehr ange-
nehm ist; es ist provinziell, ohne langweilig zu sein. Es ist
provinziell mit Konzerten von Furtwängler, mit Gast-
spielen von Jean-Louis Barrault, mit Ausstellungen von
Rembrandt bis Picasso, mit Schauspielkunst deutscher
Emigranten, mit Niederlassung von Thomas Mann, aber
auch mit allerlei eigenen Köpfen, die draußen in der Welt
etwas leisten, bis ihr Ruhm nach und nach auch dem eigenen Lande schmeichelt, das seinerseits keinen Ruhm zu
machen imstande ist, eben weil es provinziell ist, nämlich
geschichtslos.   S, S. 100 f

Wenn Sie sich in der Fremde aufhalten und Landsleute
treffen: befällt Sie dann Heimweh oder dann gerade
nicht?   TaII, S. 382

So gefällig sie auch ist, die These, Unbehagen an der
heutigen Schweiz können nur Psychopathen haben, sie
beweist noch nicht die gesellschaftliche Gesundheit der

Schweiz. Wie heimatlich der Staat ist (und das heißt: wie verteidigungswürdig), wird immer davon abhängen, wieweit wir uns mit den staatlichen Einrichtungen und (das kommt dazu) mit ihrer derzeitigen Handhabung identifizieren können. Das gelingt in manchem. Und dann wieder nicht. Mit der schweizerischen Militär-Justiz, wo die Armee als Richter in eigner Sache richtet, kann ein Demokrat sich schwerlich identifizieren. Wage ich es dennoch, mein naives Bedürfnis nach Heimat zu verbinden mit meiner Staatsbürgerschaft, nämlich zu sagen: ICH BIN SCHWEIZER (nicht bloß Inhaber eines schweizerischen Reisepasses, geboren auf schweizerischem Territorium usw., sondern Schweizer aus Bekenntnis), so kann ich mich allerdings, wenn ich HEIMAT sage, nicht mehr begnügen mit Pfannenstiel und Greifensee und Lindenhof und Mundart, nicht einmal mit Gottfried Keller; dann gehört zu meiner Heimat auch die Schande, zum Beispiel die schweizerische Flüchtlingspolitik im Zweiten Weltkrieg und anderes, was zu unsrer Zeit geschieht oder nicht geschieht. Das ist, ich weiß, nicht der Heimat-Begriff nach dem Schnittmuster der Abteilung HEER UND HAUS; es ist meiner. Heimat ist nicht durch Behaglichkeit definiert. Wer HEIMAT sagt, nimmt mehr auf sich. Wenn ich z. B. lese, daß unsere Botschaft in Santiago de Chile (eine Villa, die man sich vorstellen kann, nicht grandios, immerhin eine Villa) in entscheidenden Stunden und Tagen keine Betten hat für Anhänger einer rechtmäßigen Regierung, die keine Betten suchen, sondern Schutz vor barbarischer Rechtlosigkeit und Exekution (mit Sturmgewehren schweizerischer Herkunft) oder Folter, so verstehe ich mich als Schweizer ganz und gar, dieser meiner Heimat verbunden — einmal wieder — in Zorn und Scham.

RA 1974

Gesetzt den Fall, Sie wären in der Heimat verhaßt: könnten Sie deswegen bestreiten, daß es Ihre Heimat ist?

TaII, S. 382

Reisen

Portofino Monte
Hoch über dem Meer! Sein Horizont ist mit uns gestiegen,
höher und höher, und nur die Buchten sind unten geblieben.
Das Meer, wenn man in die Buchten hinunterschaut,
erscheint finster wie die Nacht. Ein Netz von silbernen
Wellen darüber. Wie glitzernder Brokat liegen sie unter
der Sonne, lautlos, und nur die Brandung verrät, daß sie
einen Lauf haben; der weiße Gischt an den Felsen.
Glück als das lichterlohe Bewußtsein: Diesen Anblick wirst
du niemals vergessen. Was aber erleben wir jetzt, solange
er da ist? Wir freuen uns auf eine Reise, vielleicht jahrelang, und an Ort und Stelle besteht die Freude größtenteils
darin, daß man sich um eine Erinnerung reicher weiß. Eine
gewisse Enttäuschung nicht über die Landschaft, aber über
das menschliche Herz. Der Anblick ist da, das Erlebnis
noch nicht. Man gleicht einem Film, der belichtet wird;
entwickeln wird es die Erinnerung. Man fragt sich
manchmal, inwiefern eine Gegenwart überhaupt erlebbar
ist. Könnte man unser Erleben darstellen, und zwar ohne
unser Vorurteil, beispielsweise als Kurve, so würde sie
sich jedenfalls nicht decken mit der Kurve der Ereignisse;
eher wäre es eine Welle, die jener anderen verwandt ist,
die ihr vorausläuft und wieder als Echo folgt; nicht die
Ereignisse würden sich darstellen, sondern die Anlässe der
Ahnung, die Anlässe der Erinnerung. Die Gegenwart bleibt
irgendwie unwirklich, ein Nichts zwischen Ahnung und

Erinnerung, welche die eigentlichen Räume unseres Erlebens sind; die Gegenwart als bloßer Durchgang; die bekannte Leere, die man sich ungern zugibt.

»Gehe fort, damit ich bei dir sei!«

Einer Landschaft gegenüber gestehen wir es noch am ehesten. Man ist nie da, wo man ist, und dennoch kann es nicht gleichgültig sein, wo man ist; der Ort, wo man ist, gibt den Angelpunkt, damit wir die Ferne in unser Erleben heben können. Wenn man jederzeit auf unsrer Stirne lesen könnte, wo unsere Gedanken sind, kein Mensch möchte mit uns die Gegenwart teilen. Zu Unrecht! Nur wenn er da gewesen ist, können wir zu ihm zurückkehren.

Später der Mond —

Wie er aufgeht über den rötlichen Bergen, nicht als Scheibe, sondern als Kugel, als Ball aus blassem Elfenbein; das Violette ringsum, das andere, was außer ihm ist, das Nichts zwischen ihm und uns, das All, die Nacht, der Tod. Und der Tag und das Licht, das vor diesem Raum hängt, wie dünn es wieder ist, ein Schleier von Seide, der jederzeit zerreißen kann. Man sollte nicht schlafen an der Sonne. Man erwacht mit schmerzenden Adern, mindestens mit einer leiblichen Empfindung, daß man Blut und Adern hat, mit einem jähen Bewußtsein von vergehender Zeit, und der Abend, der uns noch einmal aufnimmt mit blühendem Ginster und glitzerndem Meer, er ist so erschreckend wie herrlich, jedesmal, voll plötzlicher Durchsicht ins Unsichtbare.

TaI, S. 122 ff

Die Tageszeit, die Wien am besten steht: die Dämmerung, die abendliche, das graue Violett schöner Fassaden, die hinter alten Bäumen stehen, etwas Schnee auf den Dächern, die scheinlose Helle früher Bogenlampen, Umrisse von Barock, ein Brunnen mit verstummten Röhren, Laub in der

Schale, drei steinerne Putten mit Flöte, Stille, Dämmerung,
Menschen gehen schräg durch einen Park, ihre Hände in
den Manteltaschen, ein Tor aus kunstvollem Schmiedeeisen,
Fluchten, weit und festlich, alles etwas denkmalhaft, etwas
dornröschenhaft, es läßt sich von der Straßenbahn nicht
stören, auch nicht von einem polternden Lastwagen mit
Anhänger, alles wie hinter einem violetten Schleier ...

TaI, S. 236

Daß die Zeit, wo europäische Völker sich um die Weltherrschaft streiten konnten, vorbei ist, wußten wohl die
meisten, bevor der zweite Weltkrieg es offensichtlich
gemacht hat. In diesem Sinn hat Europa zu Ende gespielt,
und der Europäer, der sich nach Weltmacht sehnt, muß
allerdings der Verzweiflung anheimfallen oder der Lächerlichkeit, ähnlich den Napoleons in den Irrenhäusern. Das
entdeckte Amerika, das sich nunmehr auch noch selber
entdeckt, und das erweckte Rußland, von China vorläufig
zu schweigen, das sind nun einfach Kolosse, denen Europa
nicht mehr beikommt. Napoleon hatte noch einige Hoffnung,
Rußland in den Sack zu stecken, nämlich das Rußland
seiner Zeit. Und schon das ging nicht. Er versiegte sich.
Was aber Hitler versucht hat, ist Unsinn von vornherein;
denn zum Größenmäßigen, das ihn schon hätte warnen
müssen, wäre es nicht eine besonders deutsche Versuchung,
Mut und Maßlosigkeit zu verwechseln, ist ja noch ein
anderes hinzugekommen: die Kolosse sind in die Schule
gegangen. Ich sitze eben in Saint Michel, unweit der
Sorbonne, umgeben von allerlei Studenten und Studen-
tinnen, darunter viel Farbige, Schwarze, Braune, Gelbe,
wovon manche herrlich anzusehen sind, sie kleiden sich
natürlich wie die Pariser, sprechen französisch wie eine
angeborene Sprache; aber eines Tages, wenn sie das Nötige

gelernt haben, werden sie, Paris nicht ohne Wehmut ver-
lassend, zurückfahren in ihre Welten, zurück zu ihren
schwarzen oder braunen oder gelben Geschwistern. Das ist
die natürliche Folge jeder langen Herrschaft, auch der
abendländischen, daß sie ihre Waffen langsam aus der Hand
gibt. Durch Errungenschaften vieler Art, die europäisch
gewesen sind, hat die Welt, von Europäern beherrscht, sich
in einer Weise verändert, die eben dieses alte Europa, dank
der Ausfuhr seiner Errungenschaften, ein für allemal aus
dem Rennen geworfen hat. Nicht nur größenmäßig, wie es
jeder auch nur flüchtige Blick auf einen Globus zeigt! Entscheidend ist, daß Europa für die Dinge, die es ausmachen,
einen Preis hat bezahlen müssen, den jene entdeckten und
erweckten Kolosse nicht übernehmen, einen Preis an
Geschichte, an Blut, an Lebenskraft. Das ist wohl immer
so. Es kostet Kraft, die Welt zu erforschen, zu erfahren, zu
erwecken. Eine Erfindung machen oder eine Erfindung
benutzen, sie allenfalls ausbauen und erweitern und auf
neue Arten anwenden; eine Lehre stiften oder eine Lehre
begreifen, ergreifen, das ist zweierlei, beides wertvoll, doch
zweierlei an Ausgabe schöpferischer Kräfte. Auch wer es
nicht erfunden hat, kann mit dem Flugzeug fliegen; er
lernt die Griffe, die bereits vorhanden sind, und hat nicht
jahrhundertelang ins Leere gegriffen. Die ganze Fliegerei,
im grundsätzlichen einmal erfunden, kostet ihn nichts als
Benzin und Öl, Arbeit, Intelligenz, aber keine Historie,
keine vitale Substanz, und bald fliegt er besser als der
Erfinder: denn er fliegt mit jüngeren Nerven. Zum Beispiel
mit russischen oder amerikanischen Nerven. Im zweiten
Schauspiel von Thornton Wilder gibt es eine Stelle, die den
Vorgang unübertrefflich veranschaulicht; Mister Antrobus,
der Vater, hat soeben das Rad erfunden, das Rad an sich,
und kaum hat der Junge eine Minute damit gespielt, macht

er dem Vater einen Vorschlag: Papa, da könnte man einen
Sessel darauf stellen! Der Vater erfindet, der Sohn wird die
Erfindung »besitzen«. Ja, brüllt Mister Antrobus, jetzt kann
jeder Idiot damit herumspielen, aber ich hatte als erster die
Idee! Es handelt sich weniger um eine Rangordnung, glaube
ich, sondern um einen Vorgang, einen Ablauf. Die jüngeren
Nerven, der Mangel an geschichtlicher Erfahrung, an
Skepsis, das sind natürlich die Voraussetzungen, wenn man
das väterliche Rad besitzen und damit die Welt beherrschen
will. Mangel an Skepsis, Mangel an Ironie, das ist es ja
auch, was uns an ihrer Physiognomie zuerst befremdet. In
Paris habe ich mehrmals bemerkt, daß hier die Deutschen,
die Unterdrücker von gestern, minder verhaßt sind als die
Amerikaner, die Befreier, was nichts für die Unterdrückung
und nichts gegen die Befreiung sagt, sondern einzig und
allein, glaube ich, jenes Befremden ausdrückt: die
Deutschen waren trotz allem Europäer. Die Athener und
Alexander der Große, als dieser die Welt beherrschte,
haben sich vielleicht nicht anders gegenübergestanden; den
Athenern fiel es jedoch nicht ein, sich gegen die Weltherr-
schaft (die Perikles nie gewollt hat) bis zum letzten
Blutstropfen zu wehren. Wozu? Es genügte ihnen, daß das
Beste, was der junge Alexander in der Welt verbreiten
konnte, Früchte griechischen Geistes waren, das Beste, das
Lebendige von Hellas, das nicht nur die Weltherrschaft von
Alexander, sondern noch eine ganze Reihe von Weltherr-
schaften überdauert hat —
Was Europa zu hoffen hat:
Zu sein, was Griechenland ist unter Alexander, was Italien
ist für Europa, das zu werden für die Welt von morgen.

Was hat Europa zu fürchten?
Daß eines seiner großen Völker, das zur Zeit der euro-

päischen Weltmacht nie zum Zuge gekommen ist, immer noch von Weltmacht träumt: — Deutschland, dem es beinahe schon gelungen ist, Europa zugrunde zu richten im Bestand seiner Menschen und Werke, jenes Europa, das jenseits der Weltherrschaft einen höchsten Sinn haben könnte, eine Blüte, eine Reife, eine Ausstrahlung —   TaI, S. 282 ff

29. 8. 1948

Morgen an der Weichsel, Sonntag, aber an den beiden großen Brücken wird dennoch gearbeitet, weithin hört man das Hallen der Niethämmer, die dumpfen Schläge der Rammen. Ein herrlicher Anblick: der grünliche Fluß, breit und gelassen zwischen Ufern aus roher Erde, dazu das Menning am neuen Eisenwerk, dahinter und darüber die Bläue eines herbstlichen Himmels — die Stadt, die ich nun auf dem andern Ufer sehe, ist eine Silhouette der irren Zerstörung, schlimmer als alles, was ich bisher kenne; nur ein Drittel davon stammt aus dem ersten Luftkrieg, der hier vor ziemlich genau neun Jahren entfesselt worden ist, und aus der Eroberung; erst nach dem Zusammenbruch des polnischen Aufstandes, einer Tragödie voll Mut und Unheil, ist die gänzliche Zerstörung erfolgt, Straße um Straße, planmäßig. Man begreift, daß die Polen sich gefragt haben, ob sie Warschau noch einmal beziehen sollten; sie haben es getan — nicht zuletzt gerade darum, weil mit Bewußtsein versucht worden ist, Warschau für immer auszutilgen.

TaI, S. 301

Paris

Paris hat immer etwas von einer früheren Geliebten; richtiger gesagt: es hätte eine Geliebte werden können, doch hat man sich seinerzeit verpaßt. Es war schon die Allerweltsgeliebte und voll Literatur. Man nickt ihr zu, als

kenne man sich, und es ist gar nicht wahr. Sie hat sich nie
mit Barbaren eingelassen, und wer kein sehr richtiges
Französisch spricht, bleibt ein Barbar. Das zeigt uns jeder
Kellner schon nach drei Worten. Man macht sich lächerlich
mit seinem stillen Anspruch wie gegenüber einer Dame, die
nicht wissen kann, daß man von ihr geträumt hat. Was
sollen meine Blicke! Man tut besser dran, nicht zu nicken,
sondern eine fremde Zeitung auszuspannen, FRANKFURTER
ALLGEMEINE, wie eine weiße Fahne. Auch wenn man die
Namen ihrer Boulevards kennt, die Denkmäler der Dame,
ihre Seine zu allen Jahreszeiten, das eine oder andere
Restaurant, ihre Galerien, die schwärzlichen Fassaden mit
den Trikolore-Garben, ihre Metro usw., diese Stadt weiß
einfach, daß sie nie etwas mit dir gehabt hat. Ich kann mich
noch so lange hinsetzen, sogar Erinnerung hervorholen:
dieser Quatorze Juillet kurz nach dem Krieg, dieser
linkische Parfum-Kauf bei der Vendôme, Proben im
Theater, die Begegnung mit Samuel Beckett, eine Nacht in
den Hallen, als Paar zwischen morgendlichen Metzgern mit
Schürzen voll Blut, alldies geht Paris nichts an, diese Stadt
mit jungen Gesichtern, die müde ist von Erinnerung an
ihre Größe. Übrigens bin ich in dieser Stadt meistens froh
gewesen; meine Sache. Es bleibt ihre Place des Vosges, ihr
Jardin Luxembourg, ihre Seine, ihr Arc de Triomphe, ihr
Goya im Louvre, ihr Café Flore usw., ihre Weltmitte.

TaII, S. 124 f

Ein nicht unbedeutender Vorteil: daß man in einem
fremden Land nicht meint, man müsse allem gegenüber
eine heimatliche Übereinstimmung empfinden. Man erwartet nicht, was es niemals geben kann. Schon das gibt
dem fremden Land jedesmal etwas Befreiendes, Erfri-

schendes, etwas Festliches, was uns dann der Heimat gegenüber oft ungerecht macht. Es sind überall nur wenige, denen man zugetan sein kann. Das Ungerechte: in der Fremde bin ich dankbar für die wenigen, in der Heimat entsetzt über die Menge der andern.   TaI, S. 402

Rom, Juni 1968
Der Mann am Kiosk, PIAZZA DI SPAGNA, kennt einen nicht mehr. Die Kellner sofort: Come sta? Die verrotzte alte Bettlerin mit Zigarette im Mund noch immer da. VIA GIULIA. Wie bei jedem Wiedersehen mit einem früheren Wohnsitz: man wird sich unglaublich. In der VIA CORONARI polstern und polieren sie immer noch Antiquitäten, Settecento-Sessel, Truhen aus den Abruzzen, Tische aus der Toscana. VIA MARGUTTA: jetzt mit beat-shops. VIA DELLA CROCE, die sich nicht verändert hat: Obst, Eier, Gemüse, Weine, Pasta, Blumen. Ein römischer Freund hat immer noch seinen Uhu. Ein andrer, Sizilianer, ist immer noch Professor. SPERLONGA: es ist ja nicht zu erwarten, daß das Meer sich verändert hat, trotzdem eine leichte Verblüffung, daß es sich tatsächlich nicht verändert hat. Die gleichen Wellen. Wir setzen uns auf die gleichen Sessel, wir essen denselben Fisch: Dentice al forno. CERVETERI: die Etrusker sind noch genauso tot. PIAZZA VENEZIA: nur die Polizisten werden jünger, der Verkehr noch toller. GIANICOLO, Blick auf die Stadt: man bleibt überall zu lange ...   TaII, S. 144 f

(Ich halte es für besser, meine Rolle auf Hochdeutsch anzutreten. Ich habe stets ein Gefühl von Rolle, wenn ich Hochdeutsch spreche, und damit weniger Hemmungen. Mein

Englisch wäre zu dürftig; es reicht immer nur so weit, um
im großen ganzen einverstanden zu sein. Und Französisch
kommt noch weniger in Frage; ich fühle mich jedem
Franzosen unterlegen, solang er nur seine eigne Sprache
versteht.)   MNSG, S. 36 f

Freilich gibt es diesen oder jenen Conte, der Faschist ist,
daher verbittert; aber die hellen Köpfe in der Familie sind
es nicht, im Gegenteil. Das Aristokratische (in Italien)
äußert sich eher darin, daß man die bürgerliche Angst vor
dem Kommunismus, die wie jede Massenangst etwas
Vulgäres hat, nicht teilt.   MNSG, S. 333

Versuche mit Liebe

Warum gerade so? Einmal von außen gedacht: Wieso eigentlich mit dem Unterleib? Man hält es, wenn man so sitzt
und die Tanzenden sieht und es sich in aller Sachlichkeit
vorstellt, nicht für menschenmöglich. Warum gerade so?
Es ist absurd, wenn man nicht selber durch Trieb dazu
genötigt ist, man kommt sich verrückt vor, auch nur eine
solche Idee zu haben, geradezu pervers.   WALTER FABER
                                                       HF, S. 132

Je schweigsamer die Dame, um so überzeugter ist der
Mann, daß er für die Langeweile verantwortlich sei. Und
je mehr ich dabei trinke, um so weniger fällt mir ein, und
je weniger mir einfällt, um so offenherziger werde ich reden,
um so persönlicher, bloß weil man unter vier Augen ist.
PROF. HANNES KÜRMANN   BES, S. 10

Was gibt Ihnen unversehens das Vertrauen, daß Sie sich mit einer Frau intim verstehen könnten: ihre Physiognomie, ihre Lebensgeschichte, ihre Glaubensbekenntnisse usw. oder ein erstes Zeichen, daß man im Humor übereinstimmt, wenn auch keineswegs in Meinungsfragen?

TaII, S. 217

Meinen Sie zu wissen, wodurch Sie die Liebe einer Frau gewinnen, und wenn es sich eines Tages herausstellt, wodurch Sie die Liebe einer Frau tatsächlich gewonnen haben: zweifeln Sie an ihrer Liebe?

TaII, S. 146

Fühlen Sie sich identisch mit den gemeinsamen Gewohnheiten in Ihrer derzeitigen Ehe? Und wenn nicht: glauben Sie, daß Ihr ehelicher Partner sich identisch fühlt mit diesen Gewohnheiten, und woraus schließen Sie das?

TaII, S. 59

Glauben Sie an Biologie, d. h. daß das derzeitige Verhältnis zwischen Mann und Frau unabänderlich ist, oder halten Sie es beispielsweise für ein Resultat der jahrtausendelangen Geschichte, daß die Frauen für ihre Denkweise keine eigene Grammatik haben, sondern auf die männliche Sprachregelung angewiesen sind und infolgedessen unterlegen?

TaII, S. 148

Falls Sie sich schon mehrere Male verehelicht haben: worin sind Ihre Ehen sich ähnlicher gewesen, in ihrem Anfang oder in ihrem Ende?

TaII, S. 61

Wann überzeugt Sie die Ehe als Einrichtung mehr: wenn
Sie diese bei andern sehen oder in Ihrem eignen Fall?

TaII, S. 58

Mit den Deutschen

Wenn der Terror beschönigt wird als Hervorlocker des
Geistes: das bezieht sich zweifellos auf jene Gestalt, die
ebenso Mörike rezitieren wie Geiseln erschießen kann.
Denken wir beispielsweise an Heydrich, der ein begabter
Cellist war. Die bloße dumpfe Bestie, die nichts anderes
kann und kennt, ist nicht das Ungeheuerliche; denn sie ist
leicht zu erkennen. Ungeheuerlich scheint mir die Bestie
mit dem Geist, der so hoch fliegt, daß er den gleichen
Menschen nicht hindert, eine Bestie zu sein. Ungeheuerlich
ist das Janusköpfige, die Schizophrenie, wie sie sich nicht
nur innerhalb des deutschen Volkes, sondern innerhalb des
einzelnen Menschen offenbart hat. Nicht wenige von uns
hielten sich lange an den tröstlichen Irrtum, es handle sich
um zweierlei Menschen dieses Volkes, solche, die Mozart
spielen, und solche, die Menschen verbrennen. Zu erfahren,
daß sich beide in der gleichen Person befinden können, das
war die eigentliche Erschütterung; es erschüttert das
Vertrauen gegenüber jedem einzelnen, auch wenn er
Mozart spielt, auch wenn er Mörike liebt wie wir.

RA 1945/46

In der Tat empfinden wir, was den Begriff der Kultur
angeht, einen wesentlichen Unterschied zwischen dem
deutschen und dem schweizerischen Denken. Das allenthalben unerläßliche Gefühl, Kultur zu haben, beziehen wir
kaum aus der Tatsache, daß wir Künstler haben — sonst

würde man ja unsere Künstler wohl auch ernähren können! — zumindest empfinden wir die Begabung eines Gotthelf nicht als Entschuldigung dafür, daß es in diesem Lande auch Meuchelmörder gibt. Unter Kultur zählen wir wohl in erster Linie die staatsbürgerlichen Leistungen, unsere gemeinschaftliche Haltung mehr als das künstlerische oder wissenschaftliche Meisterwerk eines einzelnen Staatsbürgers. Auch wenn es für den schweizerischen Künstler oft eine erstickende Luft ist, was ihn in seiner Heimat umgibt, so ist dieses Übel, das uns persönlich trifft, doch nur die Kehrseite einer Haltung, die wir als Ganzes vollauf bejahen. Eben weil die gegenteilige Haltung, die ästhetische Kultur, zu einem fürchterlichen Schiffbruch geführt hat.

Ich will damit keineswegs sagen, daß wir dem deutschen Nachbarn gegenüber eine Art von Sendung haben. Dazu sind wir dem durchschnittlichen Deutschen, der uns nur als Bewohner eines Schlaraffenlandes sieht, allzu verhaßt; die Schweizer sind ein saturiertes Volk, was sie in den Kriegsjahren weniger waren, und wenn wir aus dem Ausland kommen, spüren wir ja selber das Aufreizende, das Unliebenswerte unserer Mängel; wir sind nicht minder selbstgerecht als die andern mit ihrer sonderbaren Arroganz, womit sie sich aus dem Elend, das sie zuerst über andere Völker gebracht haben, einen neuen Messianismus machen. Eine gewisse Gereiztheit, die unsere Gespräche so oft gefährdet und nur in glücklichen Fällen wirklich abzutragen ist, mag von beiden Seiten verschuldet sein; jedenfalls ist sie da. Hinzukommt, daß gewisse Vorzüge, die wir anzubieten hätten, allzusehr durch unsere besondere Geschichte bedingt sind, bedingt durch den kleinen Maßstab unseres Landes, nicht anwendbar für andere.   RA 1949

Zu den entscheidenden Erfahrungen, die unsere Generation, geboren in diesem Jahrhundert, aber erzogen noch im Geiste des vorigen, besonders während des zweiten Weltkrieges hat machen können, gehört wohl die, daß Menschen, die voll sind von jener Kultur, Kenner, die sich mit Geist und Inbrunst unterhalten können über Bach, Händel, Mozart, Beethoven, Bruckner, ohne weiteres auch als Schlächter auftreten können; beides in gleicher Person. Nennen wir es, was diese Menschenart auszeichnet, eine ästhetische Kultur. Ihr besonderes, immer sichtbares Kennzeichen ist die Unverbindlichkeit, die säuberliche Scheidung zwischen Kultur und Politik, oder: zwischen Talent und Charakter, zwischen Lesen und Leben, zwischen Konzert und Straße. Es ist eine Geistesart, die das Höchste denken kann (denn die irdische Schwere werfen sie einfach über Bord, damit der Ballon steigt) und die das Niederste nicht verhindert, eine Kultur, die sich strengstens über die Forderung des Tages erhebt, ganz und gar der Ewigkeit zu Diensten. Kultur in diesem Sinn, begriffen als Götze, der sich mit unsrer künstlerischen oder wissenschaftlichen Leistung begnügt und hintenherum das Blut unsrer Brüder leckt, Kultur als moralische Schizophrenie ist in unserem Jahrhundert eigentlich die landläufige. Wie oft, wenn wir einmal mehr von Deutschland sprechen, kommt einer mit Goethe, Stifter, Hölderlin und allen andern, die Deutschland hervorgebracht hat, und zwar in diesem Sinn: Genie als Alibi —.   TaI, S. 326

Was ich in Deutschland suche: die Weite im Verwandten. Die anderen Größenverhältnisse spiegeln sich immer auch im Menschlichen. Viele tragen hier den Kopf etwas höher, als ihnen zukommt, und verwechseln sich gerne mit der

Größe ihrer Anzahl, also mit einer Größe, deren auch die Schafe und die Läuse sich rühmen könnten; doch wo man eine wirkliche Persönlichkeit trifft, ist sie freier als im kleinen Land, unverkürzt, unverstümmelt, unverklemmt, bei gleicher Anlage hat sie meistens eine reichere Entfaltung; überall spürt man den größeren Spielraum — auch im Erfreulichen.

TaI, S. 404

Wer von unbewältigter Vergangenheit hört, denkt an Deutschland; der Begriff ist in Deutschland formuliert worden. Sprechen wir von der unbewältigten Vergangenheit der Schweiz, so wirkt es peinlich, Gewissensqual aus zweiter Hand; es riecht nach intellektueller Anbiederung an Deutschland und somit provinziell; es wirkt sogar komisch durch die Verspätung, vor allem verhindert dieser Slogan, dass uns die Dinge, die er etikettiert, wirklich zu schaffen machen. Erstens wird man sagen müssen: Himmler und unser Rothmund, das ist dann immerhin noch ein Unterschied. Die Verweigerung des Asyls (»Das Schiff ist voll«) und der Massenmord, das läßt sich in der Tat nicht unter den gleichen Slogan bringen. Zweitens erscheint ein Gewissen, das sich als Plagiat formuliert, wenig glaubhaft. Wieso formulieren wir's als Plagiat? Das ist nicht ungeschickt, im Gegenteil, das ist sehr geschickt: spricht man nämlich als Schweizer über die Schweiz, wörtlich von unbewältigter Vergangenheit, so wird eben durch die Übernahme der Terminologie schon der Vergleich mit dem damaligen Deutschland eingebaut, ein Vergleich, der selbstverständlich, was das Ausmaß der Schuld betrifft, zu unsern Gunsten ausfallen muß. Schließlich haben wir niemand vergast. Dies als Ergebnis der schweizerischen Selbsterforschung. Wir sind, indem wir uns terminologisch

der deutschen Selbsterforschung anschließen, vergleichsweise immer die Unschuldigen, und was in der Schweiz
geschehen oder unterlassen worden ist, scheint nicht der
Rede wert. Tatsächlich ist meines Wissens wenig erzählt
oder geschrieben worden, was als Bewältigung unserer
Vergangenheit gewertet werden könnte, wenig im Vergleich
zu den Memoiren, die heroisieren oder lieber noch
idyllisieren. Dabei haben die meisten von uns durchaus
Erinnerungen an die Realität, und wenn das Gedächtnis
nachläßt, gibt es Dokumente, die zum Vorschein gekommen
sind und die uns beschäftigen müßten, sofern wir die
Schweiz als eine Realität wollen, nicht als Plakat, das
niemals ein Lebensraum sein kann.   RA 1965/2

Manieren

Wenn Sie jemand dazu bringen, daß er den Humor ver-
liert (z. B. weil Sie seine Scham verletzt haben), und wenn
Sie dann feststellen, der betroffene Mensch habe keinen
Humor: finden Sie, daß Sie deswegen Humor haben, weil
Sie jetzt über ihn lachen?   TaII, S. 216

Das Klima der Sympathie — wie sehr wir darauf angewiesen sind! Es zeigt sich, sobald uns eine Sympathie, die
lang vorhanden gewesen ist, entzogen wird. Da ist es, als
habe man keine Luft unter den Flügeln.
Frage:
Ist die Sympathie, die uns das Gefühl gibt, fliegen zu können, nichts als eine freundliche Täuscherei, eine schonende
Unterlassung der Kritik, so, daß das andere Klima —
dieses Klima ohne Sympathie — als das gültigere anzusehen ist, das einzig gültige?   TaI, S. 335

Gesetzt den Fall, Sie leben in der Großen Hoffnung (»daß der Mensch dem Menschen ein Helfer ist«) und haben Freunde, die sich aber dieser Hoffnung nicht anschließen können: verringert sich dadurch Ihre Freundschaft oder Ihre große Hoffnung?
TaII, S. 181

Wenn Sie jemand bemitleidet oder gehaßt haben und zur Kenntnis nehmen, daß er verstorben ist: was machen Sie mit Ihrem bisherigen Haß auf seine Person beziehungsweise mit Ihrem Mitleid?
TaII, S. 425

Sympathie nicht als Unterlassung der Kritik. Aber: Sympathie hat Geduld, die Geduld der Hoffnung, sie behaftet uns nicht auf einer einzelnen Gebärde, die ungehörig ist, vorlaut, tappig, eitel, rücksichtslos, selbstgerecht; sie läßt uns stets eine weitere Chance ... Anders der Partner, der keine Sympathie empfindet: er verbucht, was ist, und gibt keinen Vorschuß, er ist aufmerksam und gerecht, und das ist fürchterlich. Sieht er uns richtiger? Wir werden, wie Polonius es mit den fahrenden Schauspielern tut, nach unserem Verdienst behandelt. Hamlet sagt: Potz Wetter, Mann, behandelt sie besser, viel besser; behandelt jeden Menschen nach seinem Verdienst, und wer ist vor Schlägen sicher?
Auch umgekehrt zu bedenken:
Wenn wir keine Sympathie haben, einem Menschen gegenübersitzen wie Geschworene, unvoreingenommen — wie verdächtig, wie anrüchig, wie unleidig jeder Mensch wird, wenn er fühlt, daß er unsere Gunst nicht hat, und also allein zu seinen Gunsten redet.
TaI, S. 335 f

Gesetzt den Fall, Sie haben einen Freund, der Ihnen in intellektueller Hinsicht sehr überlegen ist: tröstet Sie seine Freundschaft darüber hinweg oder zweifeln Sie insgeheim an einer Freundschaft, die Sie sich allein durch Bewunderung, Treue, Hilfsbereitschaft usw. erwerben?

TaII, S. 321

Gespräch über Ehrlichkeit.
Wenn die Ehrlichkeit darin bestünde, einfach alles zu sagen, es wäre sehr leicht, ehrlich zu sein, aber wertlos, nicht lebbar, alles zerstörend, Tugend auf Kosten der andern. Wo aber beginnt die Lüge? Ich würde sagen: wo wir vorgeben, in diesem Sinne ehrlich zu sein — kein Geheimnis zu haben.
Ehrlich sein: einsam sein.

TaI, S. 408

Man muß einem Kritiker nur in aller Offenheit versichern, daß man kein Künstler ist, und schon führen sie ein Gespräch mit uns, als verstünde man von Kunst so viel wie sie.

S, S. 309

Gibt es Feinde, die Sie insgeheim zu Freunden machen möchten, um sie müheloser verehren zu können?

TaII, S. 321

Gesetzt den Fall, Sie sind bedürftig und haben einen reichen Freund, der Ihnen helfen will, und er gibt Ihnen eine beträchtliche Summe (zum Beispiel damit Sie studieren können) und gelegentlich auch Anzüge von sich, die noch solid sind: was nehmen Sie unbefangener an?

TaII, S. 259

Gesetzt den Fall, Sie unterscheiden zwischen Ihren eignen
Hoffnungen und den Hoffnungen, die andere (Eltern, Lehrer, Kameraden, Liebespartner) auf Sie setzen: bedrückt es
Sie mehr, wenn sich die ersteren oder wenn sich die letzteren nicht erfüllen? TaII, S. 180 f

Ich kann es nicht ausstehen, wenn man mir sagt, was ich
zu empfinden habe; dann komme ich mir, obschon ich
sehe, wovon die Rede ist, wie ein Blinder vor.
WALTER FABER HF, S. 157

Sterben?

Vielleicht müßte man unterscheiden zwischen Zeit und Ver-
gängnis: die Zeit, was die Uhren zeigen, und Vergängnis als
unser Erlebnis davon, daß unserem Dasein stets ein anderes
gegenübersteht, ein Nichtsein, das wir als Tod bezeichnen.
Auch das Tier spürt seine Vergängnis; sonst hätte es keine
Angst. Aber das Tier hat kein Bewußtsein, keine Zeit, keinen
Behelf für seine Vorstellung; es erschrickt nicht über einer
Uhr oder einem Kalender, nicht einmal über einem Kalender
der Natur. Es trägt den Tod als zeitloses Ganzes, eben als
Allgegenwart: wir leben und sterben jeden Augenblick, beides zugleich, nur daß das Leben geringer ist als das andere,
seltener, und da wir nur leben können, indem wir zugleich
sterben, verbrauchen wir es, wie eine Sonne ihre Glut verbraucht; wir spüren dieses immerwährende Gefälle zum
Nichtsein, und darum denken wir an Tod, wo immer wir ein
Gefälle sehen, das uns zum Vergleich wird für das Unvor-
stellbare, irgendein sichtbares Gefälle von Zeit: ein Ziehen
der Wolken, ein fallendes Laub, ein Wachsen der Bäume, ein

gleitendes Ufer, eine Allee mit neuem Grün, ein aufgehender Mond. Es gibt kein Leben ohne Angst vor dem andern; schon weil es ohne diese Angst, die unsere Tiefe ist, kein Leben gibt: erst aus dem Nichtsein, das wir ahnen, begreifen wir für Augenblicke, daß wir leben. Man freut sich seiner Muskeln, man freut sich, daß man gehen kann, man freut sich des Lichtes, das sich in unsrem dunklen Auge spiegelt, man freut sich seiner Haut und seiner Nerven, die uns so vieles spüren lassen, man freut sich und weiß mit jedem Atemzug, daß alles, was ist, eine Gnade ist. Ohne dieses spiegelnde Wachsein, das nur aus der Angst möglich ist, wären wir verloren; wir wären nie gewesen . . .   TaI, S. 178

Wanderung bei glühender Hitze. Ganze Hänge haben gebrannt; eine tote Schlange zwischen verkohlten Stauden; Tanz der Schmetterlinge . . .
Unterwegs eine Tafel aus Marmor:
»Qui la bellezza del mondo sorrise per l'ultima volta a Francesco Pisani. 8. 9. 1941.«
Endlich ein Grabstein, der das Leben nicht beleidigt; würdig; ohne die obszöne Vertauschung, ohne die feige Verherrlichung des Todes.   TaI, S. 184

Ich habe selbst oft an Selbstmord gedacht. Was wissen wir, ob der Mensch, der neben uns sitzt und so zweifellos in die Welt schaut, nicht an Selbstmord denkt! Ich bin fast immer, wenn einer durch Selbstmord ging, verblüfft gewesen über meinen Mangel an Prophetie; fast nie sind es die Leute gewesen, denen man es seit Jahren schon zutraute. Plötzlich hat einer, dem es nicht an Gaben fehlt, sich in die Schläfe geschossen.

Was ist dazu zu sagen?

Es gibt, glaube ich, wenig echte Selbstmorde.

Da ist ein Vater, der uns tyrannisiert, und eines Morgens lege ich ihm meine Leiche vor die Schwelle. Bitte, Papa, da hast du's! Oder da ist eine Geliebte, der wir nicht mehr genug sind, und es lockt mich, sie zu strafen und zu erschrecken, indem ich ihr meine Leiche (wenn ich sie nicht schon dem unmöglichen Vater vor die Füße geworfen habe) in ihr Zimmer hänge. Das gibt es: Selbstmord für die Galerie. Ich glaube, daß der Selbstmörder, der auf Wirkung handelt, sich immer täuscht; wenn er sehen könnte, wie sein Vater oder seine Geliebte vor dem Unglück stehen, wie anders als erhofft, er wäre in jedem Fall enttäuscht und würde es unterlassen, wenn er nicht schon geschossen hätte. Es ist schade, daß er's getan hat; aber nicht mehr. Vielleicht ist es furchtbar für die Geliebte, furchtbar für den Vater; aber beide, wenn sie zu mir kämen, würde ich von Selbstanklagen freisprechen — Selbstmord ist keine Art, mit Menschen umzugehen, oder, anders gesprochen, es ist gar kein Selbstmord, sondern eine Erpressung derer, die weiterleben, und insofern gemein. Es liegt mir fern, über ihn den Stab zu brechen, den er selbst gebrochen hat; aber ich kenne keine Ehrfurcht vor solcher Tat. Er suchte nicht den Tod, sondern nur eine Wirkung aufs Leben, die er als Lebender eigentlich erleben möchte; eine Tat also, die nicht stimmt.   RA 1957/2

Ich hatte Professor O. wirklich nicht erkannt, wie er da plötzlich vor mir steht: Wohin denn so eilig, Faber, wohin denn? Sein Gesicht ist nicht einmal bleich, aber vollkommen verändert; ich weiß nur: Dieses Gesicht kenne ich. Sein Lachen kenne ich, aber woher? Er muß es gemerkt haben. Kennen Sie mich denn nicht mehr? Sein Lachen ist gräßlich geworden.

Jaja, lacht er, ich habe etwas durchgemacht! Sein Gesicht ist
kein Gesicht mehr, sondern ein Schädel mit Haut drüber,
sogar mit Muskeln, die eine Mimik machen, und die Mimik
erinnert mich an Professor O., aber es ist ein Schädel, sein
Lachen viel zu groß, es entstellt sein Gesicht, viel zu groß im
Verhältnis zu den Augen, die weit hinten liegen. Herr Professor! sage ich und muß aufpassen, daß ich nicht sage: Ich
weiß, man sagte es mir, daß Sie gestorben sind. Stattdessen:
Wie geht's denn immer? Er ist nie so herzlich gewesen, ich
habe ihn geschätzt, aber so herzlich wie jetzt, da ich die Taxi-
Tür halte, ist er nie gewesen. Frühling in Paris! lacht er, und
es ist nicht einzusehen, warum er immer lacht, ich kenne ihn
als Professor der ETH und nicht als Clown, aber sobald er
den Mund aufmacht, sieht es aus wie Lachen. Jaja, lacht er,
jetzt geht's wieder besser! Dabei lacht er nämlich gar nicht,
so wenig wie ein Totenschädel lacht, es wirkt nur so, und ich
entschuldige mich, daß ich ihn in der Eile nicht sofort erkannt
habe. Er hat einen Bauch, was er nie gehabt hat, einen Ballon
von Bauch, der unter den Rippen hervorquillt, alles andere
ist mager, seine Haut wie Leder oder wie Lehm, seine Augen
lebhaft, aber weit hinten. Ich erzähle irgendetwas. Seine
Ohren stehen ab. Wohin denn so eilig? lacht er und fragt
mich, ob ich nicht zu einem Apéro komme. Auch seine Herzlichkeit, wie gesagt, ist viel zu groß: er ist mein Professor
gewesen damals in Zürich, ich habe ihn geschätzt, aber ich
habe wirklich keine Zeit für einen Apéro. Lieber Herr Professor! Das habe ich sonst nie gesagt. Lieber Herr Professor!
sage ich, weil er mich am Arm faßt, und weiß, was jedermann weiß; aber er, scheint es, weiß es nicht. Er lacht. Dann
halt ein andermal! sagt er, und ich weiß genau, daß dieser
Mann eigentlich schon gestorben ist, und sage: Gerne! und
steige in mein Taxi. WALTER FABER   HF, S. 144 f

Die Primitiven versuchten den Tod zu annulieren, indem sie den Menschenleib abbilden — wir, indem wir den Menschenleib ersetzen. Technik statt Mystik!

WALTER FABER

HF, S. 109

Niemand will wissen, was ihm im Alter bevorsteht. Wir sehen es zwar aus nächster Nähe täglich, aber um uns selbst zu schonen, machen wir aus dem Altern ein Tabu: der Gezeichnete selber soll verschweigen, wie widerlich das Alter ist. Dieses Tabu, nur scheinbar im Interesse der Alternden, verhindert sein Eingeständnis vor sich selbst und verzögert den Freitod so lange, bis die Kraft auch dazu fehlt.

TaII, S. 115

Was allenfalls für die Alten spricht: da sich die Rücksichtnahme nicht mehr lohnt, bedarf es nicht des Zornes, der Unbesonnenheit des Zornes, damit der Alte sagt, wie etwas sich verhält — manchmal verhält es sich tatsächlich so, und natürlich wissen die andern es auch; nur nehmen sie noch Rücksicht auf sich selbst. Der Alte ist deswegen noch kein Seher, nur gelassen-furchtlos. Was die antiken Seher, meistens blind, zu sagen hatten war auch selten mehr als das Offenbare, was zu sehen aber die andern sich nicht leisten können — aus Rücksicht auf sich selbst und zu ihrem Schaden.

TaII, S. 418

Wovor haben Sie mehr Angst: daß Sie auf dem Totenbett jemand beschimpfen könnten, der es nicht verdient, oder daß Sie allen verzeihen, die es nicht verdienen?

TaII, S. 425

Wenn wieder ein Bekannter gestorben ist: überrascht es
Sie, wie selbstverständlich es Ihnen ist, daß die andern
sterben? Und wenn nicht: haben Sie dann das Gefühl, daß
er Ihnen etwas voraushat, oder fühlen Sie sich überlegen?

TaII, S. 425

Einigen wird man schon fehlen, andern wiederum weniger
als sie meinen.

MNSG, S. 392

Noch kann von Alter nicht die Rede sein. Er stutzt nur,
wenn er zufällig ein früheres Foto sieht, ein Gesicht, das
es nicht mehr gibt. Noch nimmt er's mit den Jüngeren auf.
Aber so weit ist es schon, daß er jeden darauf ansieht,
ob er jünger ist, und man widerspricht, wenn er von Altern
redet, mit Recht. Noch ist sozusagen nichts davon zu
sehen. Und daß der Jahrgang, dem er angehört, keinen
Vorschuß an Erwartungen mehr genießt, das fällt niemand
auf, versteht sich, außer ihm. Die schlaffe Haut und die
Taschen unter den Augen, wenn er beim Rasieren gezwun-
genermaßen in den Spiegel schaut, noch erscheint alles
nur als ein Zeichen vorübergehender Müdigkeit. Er wei-
gert sich darüber zu erschrecken. Nur die Zähne, manchmal schon ausgefallen im Traum, man weiß, was das heißt,
die Zähne erschrecken ihn, auch die Augen: alles Weiße
wird aschig oder gelblich. So weit ist es schon. Die Haare
fallen nicht aus, sie fallen nur flacher, und was wächst, ist
die Stirn; noch braucht man es nicht eine Glatze zu nennen.
Aber das wird kommen. Die Lippen werden schmaler,
ausdrucksvoller sozusagen, jedoch farblos. Noch steht die
Erfüllung bevor, Burri hat recht. Und Frauen bieten sich
an wie nie zuvor. Das Brusthaar wird silbrig; das sieht
man aber nur im Bad. Fasten und etwas Sport, betrieben

mit Maß und Energie, verhindern den Ansatz von schwammigem Fett; die Muskeln werden deswegen nicht jung. Noch geht er mühelos, aber er sieht's an seinem Schatten: ein Mann von fünfzig, sein Gang wird sparsamer, die Bewegungen gehen nicht mehr durch den ganzen Körper. Das Gesicht wird lebendiger als der Körper, persönlicher von Jahr zu Jahr, sozusagen bedeutend, wenn es nicht müde ist, und müde ist es oft. Er verheimlicht es, wenn er müde ist, nach Kräften, wenn nötig mittels Pillen. Noch ist es nicht soweit, daß er sich nach dem Mittagessen hinlegen muß. Aber all dies wird kommen. Noch arbeitet er voll. Das schon. Er leistet sogar mehr als früher, weil die Erfahrung ihn rascher erkennen läßt, was nicht gelingen kann, und beruflich kommt die beste Zeit. Das schon. Und es wird kommen, was er fürchtet: daß man ihm mit Respekt begegnet. Respekt vor seinen Jahren. Man wird ihn sprechen lassen, weil er älter ist, und da hilft keine Kameraderie, kein Buhlen um die Jungen. Sie werden immer jünger. Sie hören aus Höflichkeit zu und sagen immer seltener, was sie denken. All dies wird kommen. Er wird sich bemühen um sie, gleichzeitig sich weigern, wenn man ihm den Mantel halten will, und eingehen auf ihre Unerfahrenheit und auf ihre verstiegenen Erwartungen. Man wird ihn rührend finden, auch etwas lästig, ohne daß er's bemerkt. Er wird bewundern, um nicht neidisch zu erscheinen, und er wird neidisch sein auf alles, was er selbst schon gehabt hat, neidisch, weil es ihm nicht mehr erstrebenswert erscheinen kann. All dies wird kommen. Gewöhnt an die natürliche Zunahme der Sterbefälle in seinem Jahrgang und gewöhnt an gewisse Ehrungen, die seiner Vergangenheit gelten, ein Sechziger, dem man seine geistige Frische zu versichern beginnt und dies immer offenherziger, wird er über sein Alter nicht klagen, im

Gegenteil, er wird eine Würde daraus machen, betroffen,
daß diese Würde keineswegs lächerlich erscheint, sondern
nachgerade angemessen. All dies ist nicht aufzuhalten.
Und vielleicht wird er noch siebzig, ja, dank der Mittel
moderner Medizin. Noch ist es nicht so weit, daß man ihn
schon auf Schritt und Tritt betreuen muß. Natürlich
braucht er Hilfe. Natürlich muß er sich schonen. Wofür?
Sein Gedächtnis, obschon es nicht mehr ausreicht, um eine
fremde Sprache zu erlernen, wird erstaunlich sein; er wird
sich an die fernsten Dinge erinnern, die ihn einmal beschäftigt haben. Die Jungen (Vierzigjährige) werden unter-
einander streiten, während er daneben sitzt in Verschonung. Seine Ansichten sind nicht mehr zu ändern. Er wird
täglich einen Spaziergang machen vielleicht mit einem
Stock, jedenfalls mit einem Hut, täglich die Zeitung lesen,
um nicht in der Vergangenheit zu spazieren. Gegenwart?
Er weiß, wie es zu dieser Gegenwart gekommen ist.
Manchmal wird er erzählen von seinen persönlichen Be-
gegnungen mit Männern, die diese Gegenwart herbeige-
führt haben, von seiner Zeit, die Geschichte ist, jedesmal
dasselbe . . .

Warum hat man sich nicht erhängt?   MNSG, S. 244 ff

Wenn Sie einen Toten sehen: welche seiner Hoffnungen
kommen Ihnen belanglos vor, die unerfüllten oder die
erfüllten?   TaII, S. 182

Versuche mit Liebe

Ein Mann, der an seiner Frau leidet, ist selbst schuld . . .
Was Männer hörig macht: ihre Verachtung der Frau, die

sie sich selbst nicht eingestehen; daher müssen sie verherr-
lichen und stellen sich blind; wenn die Wirklichkeit sie
unterrichtet, laufen sie zur nächsten, als wäre die nächste
nicht wieder eine Frau, und können von ihrem Traum nicht
lassen ... Was man verachtet: ihre Passivität, ihre Koketterie noch da, wo es um ganz andere Dinge geht, die Per-
manenz ihrer Frau-Mann-Position, alle andern Interessen
entlarven sich als Vorwand oder Tarnung oder Zwischen-
spiel, ihr unstillbares Liebesbedürfnis, ihre Gewöhnung
daran, daß sie bedient werden (Streichhölzer) und immer
das Vorrecht haben, enttäuscht zu sein, überhaupt ihr
Hang zum Vorwurf, wobei der Vorwurf erraten werden
muß, ihr Schweigen-Können, sie wollen und können sich
selbst undurchsichtig bleiben, ihr Dulden-Können, ihr Kniff,
das Opfer zu sein, dazu ihre entsetzliche Tröstbarkeit in
jedem Augenblick, ihre Flirt-Anfälligkeit noch im Glück,
ihre Bereitschaft und List dabei, daß sie es dem Mann
überlassen, was geschieht, und wenn der Mann, um handeln zu können, wissen möchte, woran er ist, ihre Kunst
des Offen-Lassens, sie überlassen ihm die Entscheidung
und damit die Schuld von vornherein, ihre Kränkbarkeit
überhaupt, ihr Bedürfnis nach Schutz und Sicherheit und
dazu der geisterhafte Wankelmut ihrerseits, kurzum: ihr
Zauber ... Der Mann gibt sich um so ritterlicher, je mehr
Verachtung er zu verheimlichen hat ... Der biologische Unterschied: die Frau kann in einer Nacht mit zehn Männern
zusammensein, der Mann nicht mit zehn Frauen; er muß
Begierde haben, sie kann es geschehen lassen auch ohne
Begierde; deswegen ist die Hure möglich, aber nicht das
männliche Gegenstück. Die Frau, zur Schauspielerei genötigt durch die Eitelkeit des Mannes, spielt ihre Auflösung
im Genuß, auch wenn er ausbleibt; der Mann weiß nie
ganz sicher, was für die Frau wirklich geschehen ist; es

ist der Mann, der sich preisgibt, nicht die Frau; das macht ihn mißtrauisch ... Die Frau ist ein Mensch, bevor man sie liebt, manchmal auch nachher; sobald man sie liebt, ist sie ein Wunder, also unhaltbar —   MNSG, S. 323 f

Man kann einen Menschen nicht bloß in seiner Beziehung zum andern Geschlecht vorstellen, einen Mann nicht; die meiste Zeit unseres Lebens verbringen wir mit Arbeit.
                                                                    MNSG, S. 397

Ein Mann und eine Frau, als der erste Rausch der unpersönlichen Liebe verrauscht war, erkannten, daß sie wie für einander geschaffen waren. Sie verstanden einander so trefflich. Nur war der Rausch eben verrauscht. Und so lebten sie zusammen, nicht übermütig, aber ohne Zerwürfnisse. Nur manchmal geschah es, daß er die Umarmung, während sie stattfand, wie von außen sah, als sitze er in einem Sessel daneben oder als stehe er grad am Fenster, er hatte Gedanken, wie wenn man auf die Straße hinausschaut, keine schlimmen, aber Gedanken, dann wieder war er eins mit sich und mit ihr, und später, wenn sie einen Tee kochte, rief er sie mit ihrem Kosenamen, und als sie den Tee eingoß, sagte er, daß er sie liebe. Es war durchaus wahr. Und ihr ging es wahrscheinlich ebenso. Auch sie liebte ihn, nur ihn, wenn auch anders als im Anfang, persönlicher. Sie waren unzertrennlich, sie reisten zusammen. Einmal, in einem Hotel, war er bestürzt, als er die Umarmung, während sie stattfand, in einem Spiegel sah, und froh, daß es sein Körper war, mit dem sie ihn betrog, und er schaute in den Spiegel, in dem er sie ebenso betrog. Es kam zu Krisen über Lappalien. Dabei liebten sie einander.

Eines Abends, später, saß er eine Zeitung lesend, während sie im Bett lag; er hatte Gedanken, alltägliche, wie er sie manchmal in der Umarmung heimlich hatte, aber er saß tatsächlich in dem Sessel; sie schlief, und er konnte sich, von jenem Spiegel belehrt, ohne weiteres vorstellen, wie ein andrer sie umarmt, und saß daneben, keineswegs bestürzt, eher froh um die Tilgung seiner Person, eigentlich heiter: Er möchte nicht der andere sein. Zeitung lesend, während sie schlief und vielleicht träumte, was er sich von außen vorstellte, war er eins mit seiner großen Liebe. Sie hießen Philemon und Baucis: Das Paar.   MNSG, S. 362

Unsere Meinung, daß wir das andere kennen, ist das Ende der Liebe, jedesmal, aber Ursache und Wirkung liegen vielleicht anders, als wir anzunehmen versucht sind — nicht weil wir das andere kennen, geht unsere Liebe zu Ende, sondern umgekehrt: weil unsere Liebe zu Ende geht, weil ihre Kraft sich erschöpft hat, darum ist der Mensch fertig für uns. Er muß es sein. Wir können nicht mehr! Wir künden ihm die Bereitschaft, auf weitere Verwandlungen einzugehen. Wir verweigern ihm den Anspruch alles Lebendigen, das unfaßbar bleibt, und zugleich sind wir verwundert und enttäuscht, daß unser Verhältnis nicht mehr lebendig sei.

»Du bist nicht«, sagt der Enttäuschte oder die Enttäuschte: »wofür ich dich gehalten habe.«

Und wofür hat man sich denn gehalten?

Für ein Geheimnis, das der Mensch ja immerhin ist, ein erregendes Rätsel, das auszuhalten wir müde geworden sind. Man macht sich ein Bildnis. Das ist das Lieblose, der Verrat.   TaI, S. 32

Wie lange leben Sie durchschnittlich mit einem Partner
zusammen, bis die Aufrichtigkeit vor sich selbst schwindet,
d. h. daß Sie auch im stillen nicht mehr zu denken wagen,
was den Partner erschrecken könnte?   TaII, S. 59

Nationalität: Schweiz

Heute, im Gegensatz zu damals, dominiert in der schweizerischen Politik durchaus das Sachgeschäft, die bloße
Verwaltung. Die Politik ist nicht Anliegen des Volkes,
sondern ein Beruf für Sachverständige, die meistens mit
den Interessierten identisch sind oder von ihnen gelenkt.
Politik ist zum bloßen Geschäft geworden, zum getarnten
Geschäft. Und wer einmal auf die grundsätzlichen Probleme hinzuweisen wagt, die dahinterliegen, wer auf eine
wirkliche Auseinandersetzung drängt, der läuft Gefahr,
als politischer Scharfmacher und als Spielverderber ange-
prangert zu werden, als Wirrkopf, als Träumer, als Stö-
refried — als Nihilist!   ads, S. 52

1848 wurde die neue Schweiz und ihre Verfassung von
den Parteien geschaffen. Von den Parteien, das will sagen:
Verfassung und Gesetze wurden nicht nach den bloßen
Notwendigkeiten und Bedürfnissen einer augenblick-
lichen Situation aufgestellt, sondern nach Zielen ideolo-
gischer Art. Das ist es, was wir Entwurf nennen. Es wurde
eine Schweiz gegründet; die Verfassung war nicht der
Gegenwart mit ihren Gegebenheiten abgeschrieben, sondern sie umschrieb die Zukunft, sie war der Entwurf
einer Schweiz, die erst gebildet werden sollte und in
hohem Grade auch gebildet worden ist. Das ist das Werk

von Männern, die das, was sie nach ihrer Ideologie für richtig und wertvoll erachteten, in Wirklichkeit umzusetzen wagten. Die Schweiz — entgegen der strafbaren Ansicht aller Müden, die sich für Realisten halten, indem sie sich den Gegebenheiten unterwerfen — ist der Triumph einer utopischen Idee über die Gegebenheiten.

ads, S. 52

Unsere Parteien glauben selbst nicht mehr an die Zeugungskraft ihrer Ideen, weder an die eigene Ideologie noch an die Ideologie ihres parlamentarischen Gegners. Man »versteht« sich zu gut, nämlich so wie zwei Händler sich verstehen. Die Unterschiede zwischen einem Konservativen und einem Sozialdemokraten sind bald nur noch scheinbar; es geht nur noch darum, wieviel sich jeder vom Reichtum dieses Landes abschneiden kann, aber nicht mehr um die Gestaltung dieses Landes. Damit ist die utopische, die staatsbildende Kraft unserer Parteien zusehends im Erlöschen. Sie werden belanglos, überflüssig, sie sind demnächst durch Verwaltungsräte und Reklameberater zu ersetzen.

ads, S. 53

Demokratie ohne Opposition?
Dieser Eindruck entsteht, weil unsere Opposition sich nicht formiert. Wie soll sie? Keinesfalls kann sie sich als parlamentarische Opposition formieren. Eine Partei, die gegen den beschleunigten Ausbau unserer Nationalstraßen nichts einzuwenden hätte, aber gegen die United Fruit Company und ihre systematischen Repressionen in Guatemala oder Honduras oder Venezuela protestiert oder gegen das Verbot des *Free Speech Movement* in Berkeley, California, oder gegen die NATO-Militär-Junta in Grie-

chenland usw., was sollte sie in einem Gemeinderat oder
im Bundesparlament? Hinter solcher Lächerlichkeit liegt
ein wirkliches Dilemma. Unsere Opposition greift über
den Bezirk unserer Souveränität hinaus. Sie könnte sich
nur international formieren, und solange sie das nicht tut,
bleibt sie privat-intellektuell, ohne Effekt, verbal, pla-
tonisch. Oder aber, aktiviert im Bezirk unserer Souveränität, läuft sie Gefahr, daß sie ihren Gegenstand verwechselt; sie wird Querulantentum, was nicht der Sinn von
Opposition ist. Unser Land, intern-human, ist ja nicht der
Initiant des neokolonialistischen System; unser Status quo
profitiert von diesem System, aber das Verlangen, daß
die Schweiz sich desintegriere, wär nicht realistisch. Unsere Opposition kann sich nur auf die Basis beziehen und
an der Basis haben wir keine Wählerstimme, wenn auch
Investitionen, die eben die Schweiz nicht nur geographisch
integrieren. Diese Investitionen sind freilich der Grund,
warum unsere Opposition gegen die Basis diffamiert wird
im Namen der Neutralität, nicht im Namen der Banken:
Solidarität mit der amerikanischen Opposition wird
»empfunden« als Anti-Amerikanismus, als wären die Leute, die nur durch eine Phalanx von Bajonetten und Ma-
schinenpistolen vom Pentagon abzuhalten sind, keine
amerikanischen Staatsbürger.

Es sind jetzt 50 Jahre seit dem Generalstreik.

Eine Umfrage: Wie werten Sie dieses historische Ereignis?
würde bei der Mehrheit des Schweizervolkes ergeben:
Glückliche Bewältigung eines drohenden Unglücks, ein
Sieg unseres gesunden Schweizersinns. Die Fotos, die zum
Jubiläum aus den Archiven kommen, bestätigen es: Offi-
ziere mit Helm und mit blankem Säbel in der Bahnhof-
straße, Gruppen von verschüchterten Streikenden und
Gesichter befriedigter Zuschauer. Der Jahrgang, dem ich

angehöre, hat nur noch kindliche Erinnerungen: das Sammeln von Eicheln im Wald, um zuhause daraus Kaffee zu machen, ich fand's lustig. Schulfrei. Einer aus der Verwandtschaft, ein junger Postangestellter, fragte mich, warum ich mit Kreide an die Mauern schrieb: Bolschewiki. Vielleicht war er auch einer, obschon ich ihn gerne mochte. Ich erinnere mich: ein Student mit Couleur-Mütze führte das Tram, eskortiert von zwei Soldaten mit Helm und aufgepflanztem Bajonett; ich wäre auch gern ein Student gewesen, um einmal ein richtes Tram führen zu dürfen. Aber dann, wie gesagt, kam der Sieg des gesunden Schweizersinns.   R.A 1968

Wie steht es bei uns?
Wir haben eine intakte parlamentarische Verwaltung des Status quo, der, solange die Welt sich nicht bewegt, unseren Wohlstand garantiert, und das Recht auf freie Meinungsäußerung, wobei allerdings die Meinung, Demokratie sei die Politik der permanenten Reform, schon fast als subversiv gilt; in bezug auf die Welt haben wir normalisierte Schizophrenie: einerseits die Neutralität als Staat, der sich die kommentarlose Integration in einen Machtblock als Souveränität auslegt, und anderseits die politische Privat-Gesinnung, die, sollte sie eben diesen Machtblock kritisieren als Welt-Herrschaft durch koloniale Konterrevolutionen, Kritik bleibt, verbal, Opposition hinter Glas, Stuben-Politisiererei — sobald der Schweizer sein politisches Interesse und Gewissen nicht auf die Schweiz beschränkt, eine integrierte, aber politisch nur auf sich selbst bezogene Schweiz ... Es ist paradox: das politische Gewissen gegenüber der Welt bleibt bei uns privat.   RA 1968

Das Problem, so scheint mir, beginnt damit, daß man die
Schweiz, trotz Neutralität, nicht für sich selbst nehmen
kann. Das wäre schön. Wir sind aber in ein Herrschaft-
System integriert, auch wenn wir auf Außenpolitik verzichten, wir sind es de facto. Wir verdanken der Integration in die US-Herrschaft nicht nur unseren nationalen
Wohlstand, sondern die Möglichkeit, unsere Art von Demokratie betreiben zu können. Die Frage, wem wir unsere
Status-quo-Freiheit verdanken — oder richtiger gesagt:
innerhalb von welchem Herrschaft-System wir privile-
giert sind —, diese Frage ist nicht nur erlaubt, sondern un-
umgänglich; Neutralität kann uns nicht dispensieren von
dem Wissen, was in Vietnam geschieht. Das geht uns, als
Integrierte, etwas an: sowohl moralisch wie politisch. Wir
bezeichnen unsere Freiheit als heiliges Gut; wenn sich
herausstellt, daß sie auf der systematischen Ausbeutung
anderer Völker beruht, so werden wir sie anders bezeichnen müssen. Wir wissen von den Aktionen der CIA in
Venezuela, von der Schweinebucht-Invasion, von dem
US-Übergriff auf Santo Domingo; wir wissen von Staats-
streichen in Latein-Amerika, die von den USA finanziert
werden, und es gibt eine Reihe von Ländern, die ihre
Diktatoren immer wieder der United Fruit Company
verdanken; wir wissen von dem Plan, eine philoimperiali-
stische Armee in Latein-Amerika zu schaffen, die in jedem
Land einzugreifen hätte, das sich durch Aneignung seiner
eigenen Bodenschätze als subversiv erweist. Der Vietnam-
Krieg ist nur die Eskalation einer systematischen Praxis,
die nicht Völkermord intendiert, aber auch nicht davor
zurückschreckt. Die Schweiz, zumindest als Staat, hat
nichts damit zu tun, aber wir sind integriert in das Herrschaft-System, das damit zu tun hat.
Hier liegt unser Konflikt.

Zur gleichen Zeit, als auf der Limmat ein städtisch-be-
willigtes Mahnmal für den Ungarn-Aufstand schwamm
mit christlichem Kreuz, verbot der Stadtrat von Zürich,
daß eine Ausstellung von Vietnam-Fotos auf öffentlichem
Grund gezeigt werde. Dieser Beschluß, so ist anzunehmen,
wurde begründet mit Neutralität, was mit dem Mahnmal
auf der Limmat nicht vereinbar sein mag, aber der Beschluß des Stadtrates von Zürich ist auf andere Weise
begreiflich; er richtet sich gegen das unerwünschte Bewußtsein einer Realität: daß unser Status quo nutznie-
ßerisch ist.
Hier beginnt unsere Opposition.
Unsere Opposition, die sich nicht fundamental gegen die
praktizierte Verwaltung der Schweiz richtet, aber fundamental gegen das Herrschaft-System, in das die Schweiz
integriert ist, befindet sich in einer widersprüchlichen Lage.
Die Schweiz, als Staat, ist neutral. Das wissen wir, aber es
ist nötig, daß man es immer wieder sagt, weil es nicht
stimmt. Daß die Schweiz sich jeder offiziellen Parteinahme in den internationalen Auseinandersetzungen enthält, ändert nichts daran, daß sie in die US-Herrschaft
integriert ist. Ihre Neutralität (heute) ist das korrekte
Schweigen eines Vasallen. Wie sollte die Schweiz, als
Enklave in der US-Herrschaft, sich anders verhalten als
»neutral«? Unsere Opposition zu einer parlamentarischen
Opposition zu machen, ist daher nicht möglich: unser
Parlament befaßt sich mit der Verwaltung der Schweiz,
unsere Opposition befaßt sich nicht mit der Verwaltung
der Schweiz. Wo und wie soll sie sich manifestieren? Sie
bleibt Gespräch, Publizistik, und selbst wenn man zur
Demonstration übergeht, bleibt es eine Opposition, die
nichts Offizielles nach sich ziehen kann, schlimmstenfalls
ein Straßenverbot, bestenfalls eine offizielle Caritas-Ak-

tion für die Opfer, eine achtbare Aktion, die aber keine
Veränderung bewirkt, sie nicht einmal intendiert. Unsere
Opposition bleibt hinter Glas. Eine Aktivität von unserem
Bundesrat zu verlangen, der auf Neutralität verpflichtet
ist, um unsere Integration in die US-Herrschaft nicht zu
belasten, ist unmöglich; das einzige, was der Bundesrat
kann und auch tut: er kann jedem Schweizerbürger seine
Privat-Gesinnung lassen, die für die Schweiz, als Staat,
unverbindlich bleibt. Daraus ergibt sich für uns natürlich
ein seltsames Verhältnis zur Staatsbürgerlichkeit; die
Schweiz reduziert sich zum Wohnsitz, wobei wir Ausländern gegenüber den großen Vorteil haben, daß wir keine
Niederlassungsbewilligung brauchen, dazu das Stimm-
recht haben und sogar, wenn wir genug Wähler überzeugen, im Gemeinderat sitzen können, um Gemeinnütziges
zu leisten innerhalb unserer Integration in ein Herrschaft-
System, dem unsere Opposition gilt: als Privat-Opposi-
tion. Eine nationale Revolution ist nicht fällig, eine inter-
nationale wohl. Unsere Opposition also bleibt theoretisch,
und da sie ohne Praxis bleibt, unsere Praxis repressiv,
unsere Staatsbürgerlichkeit ohne Relevanz für die Bewegung der Welt.   RA 1968

Leben, ja

Drei Uhr nachmittags ist eine fürchterliche Stunde, die
Stunde ohne Gefälle, flach und aussichtslos, ich erinnere
mich an die ferne Kinderzeit, wenn ich krank lag, und
es war drei Uhr nachmittags, Bilderbücher, Apfelmus,
Ewigkeit ...   MNSG, S. 95

Alles ist wie nicht geschehen ... Es ist ein Tag im September, und wenn man aus den finstern und gar nicht kühlen Gräbern wieder ans Licht kommt, blinzeln wir, so grell ist der Tag; ich sehe die roten Schollen der Äcker über den Gräbern, fernhin und dunkel das Herbstmeer, Mittag, alles ist Gegenwart, Wind in den staubigen Disteln, ich höre Flötentöne, aber das sind nicht die etruskischen Flöten in den Gräbern, sondern Wind in den Drähten, unter dem rieselnden Schatten einer Olive steht mein Wagen grau von Staub und glühend, Schlangenhitze trotz Wind, aber schon wieder September: aber Gegenwart, und wir sitzen an einem Tisch im Schatten und essen Brot, bis der Fisch geröstet ist, ich greife mit der Hand um die Flasche, prüfend, ob der Wein (Verdicchio) auch kalt sei, Durst, dann Hunger, Leben gefällt mir —   MNSG, S. 496

ALCOHOLICS ANONYMOUS, sie treffen sich dreimal in der Woche. Eine jüngere und attraktive Frau erzählt ihre Geschichte mit dem Alkohol, eine Geheilte. Sehr unbefangen, direkt, durchaus unpfäffisch. Einzige Bedingung für die Mitgliedschaft: der Wunsch, nicht mehr zu trinken. Es sind ungefähr 150 Männer und Frauen verschiedenen Alters, Arme und Bessergestellte auch, Weiße und Schwarze. Wer in der Diskussion teilnimmt, stellt sich vor: »Joe, I am an alcoholic.« Dann fragt er, wie es aber der Sprecherin ergangen ist bei Rückfällen. Man versteht einander. Einer ist schwerbetrunken, sagt etwas und geht nach einer Weile, was nicht verübelt wird; jeder weiß hier, wie schwer es ist. Ich sehe, daß er sich sogar noch einen Dollar pumpt. Nur wenigen ist anzusehen, daß sie Trinker sind. Im Nebenraum lärmen Kinder bei einem Ballspiel. Es gibt Gratis-Tee. Wer einmal die Gnade erfahren hat, daß

er nicht mehr dem Alkohol verfallen ist, begleitet einen
andern am Feierabend; ohne Herablassung, wenn er den
Süchtigen abzuhalten versucht, denn er selber kennt den
Alkohol und den Satan, der verspricht, daß es bei einem
Gläschen bleibe, und die Ausrede, heute gebe es irgend
etwas zu feiern. Der alte Neger, den ich um Traktate
bitte, gibt vorerst die Hand und sagt: Bobby. Ich sage:
Max.   TaII, S. 370

Katalog
Kastanien, die aus ihrem grünen Igel springen und glän-
zen / Schneeflocken unter der Lupe / Steingärten japa-
nisch / Buchdruck / Karawane mit Kamelen am gelben
Horizont / Regen am Eisenbahnfenster nachts / eine
Jugenstil-Vase beim Antiquar / die Fata Morgana in der
Salzwüste, wenn man meint, Lachen von blauem Wasser
zu sehen, überhaupt die Wüste / Turbinen / Morgen-
licht durch grüne Jalousien / Handschriften / Kohlen-
halden im Regen / Haar und Haut von Kindern / Bau-
stellen / Möwen auf dem schwarzen Wattenmeer bei
Ebbe / das blaue Blitzlicht von Schweißbrennern / Goya
/ Was man mit dem Teleskop sieht / Späne unter einer
Hobelbank / Lava in der Nacht / Fotos aus dem Anfang
dieses Jahrhunderts / Pferde im Jura bei Nebel / Land-
karten, alte und neue / Beine einer Mulattin unterhalb
ihres Mantels / Spur von Vogelfüßen auf Schnee / Wirtschaften in der Vorstadt / Granit / ein Totengesicht am
Tag nach dem Tod / Disteln zwischen Marmor in Griechenland / Augen, Münder / das Innere von Muscheln /
Spiegelung eines Wolkenkratzers in der Fassade eines
andern Wolkenkratzers / Perlenfischerinnen / Kaleido-
skope, die man schütteln kann / Farnkraut verwelkt und

verblichen / die Hände von alten Menschen, die man liebt / Kiesel in einem Bergbach / ein Maya-Relief an seinem Ort / Pilze / ein Kran in Bewegung / Wände mit Plakaten, die nicht mehr gelten / Schlangen im Wasser schwimmend mit gerecktem Kopf / Theater, einmal aus dem Schnürboden gesehen / Fische auf dem Markt, Fischernetze zum Trocknen auf dem Pflaster, Fische aller Art / Wetterleuchten / Flug der schwarzen Berg-Dohlen, wenn man auf dem Grat steht, ihr Flug über die Schlünde / ein Liebespaar in einem stillen Museum / das Fell gewöhnlicher Rinder in Griffnähe / Sonnenkringel in einem Glas voll Rotwein (Merlot) / ein Steppenbrand / das Bernstein-Licht im Zirkuszelt an einem sonnigen Nachmittag / Röntgen-Bilder, die man nicht versteht, das eigene Skelett wie in Watte oder Nebel / Brandungen, ein Frachter am Horizont / Hochöfen / ein roter Vorhang, von der nächtlichen Straße her gesehen, Schatten einer unbekannten Person darauf / Glas, Gläser, Glas jeder Art / Spinnweben gegen Sonne im Wald / Kupferstiche mit gelben Flecken auf dem Papier / viele Leute mit Schirmen, Scheinwerferglanz auf dem Asphalt / Mädchenbildnis der eigenen Mutter, in Öl gemalt von ihrem Vater / die Gewänder der Kirche, der ich nicht angehöre / das olivgrüne Leder auf einem englischen Schreibtisch / der Silser-See / Blick eines verehrten Mannes, wenn er die Brille abgenommen hat, um sie zu putzen / das Geschlinge von blinkenden Geleisen vor einem Großbahnhof in der Nacht / Katzen / Mondmilch über dem Dschungel, wenn man in der Hängematte liegt und Bier trinkt aus Büchsen und schwitzt und nicht schlafen kann und nichts denkt / Bibliotheken / ein gelber Bulldozer, der Berge versetzt / Reben beispielsweise im Wallis / Filme / ein Herrenhut, der über die Spanische Treppe hinunter

rollt / wenn man mit breitem Pinsel eine Wand anstreicht,
die frische Farbe / drei Zweige vor dem Fenster, Winter-
himmel über roten Backstein-Häusern in Manhattan,
Rauchwirbel aus fremden Kaminen / der Nacken einer
Frau, wenn sie sich kämmt / ein russischer Bauer vor den
Ikonen im Kreml / März am Zürich-See, die schwarzen
Äcker, Föhn-Bläue über Schattenschnee —

usw.

usw.

usw.

Freude (Bejahung) durch bloßes Schauen.   TaII, S. 344 ff

Wie oft muß eine bestimmte Hoffnung (z. B. eine politische) sich nicht erfüllen, damit Sie die betroffene Hoffnung aufgeben, und gelingt Ihnen dies, ohne sich sofort
eine andere Hoffnung zu machen?   TaII, S. 179

Wenn eine private Hoffnung sich endlich erfüllt hat: wie
lange finden Sie in der Regel, es sei eine richtige Hoffnung
gewesen, d. h. daß deren Erfüllung so viel bedeutet, wie
Sie jahrzehntelang gemeint haben?   TaII, S. 179 f

Die Wiederbegegnung mit dem sprachlichen Genie des
jungen Brecht, veranlaßt durch die Aufführung im Zürcher Schauspielhaus (Regie: Kurt Hirschfeld, Hauptdar-
steller: Ernst Schroeder und Ernst Ginsberg), die Stücke:
Baal, Trommeln in der Nacht, Im Dickicht der Städte;
seine erste Lyrik. Ferner — wenn das unter die Kategorie
des künstlerischen Erlebnisses fällt: Rom, nicht als At-
traktion, sondern als Arbeitsplatz.   RA 1960

Auf der Welt sein: im Licht sein. Irgendwo (wie der Alte
neulich in Korinth) Esel treiben, unser Beruf! — aber vor
allem: standhalten dem Licht, der Freude (wie unser Kind,
als es sang) im Wissen, daß ich erlösche im Licht über
Ginster, Asphalt und Meer, standhalten der Zeit, beziehungsweise Ewigkeit im Augenblick. Ewig sein: gewesen sein.   WALTER FABER   HF, S. 282 f

*

(Manchmal scheint auch mir, daß jedes Buch, so es sich
nicht befaßt mit der Verhinderung des Kriegs, mit der
Schaffung einer besseren Gesellschaft und so weiter, sinn-
los ist, müßig, unverantwortlich, langweilig, nicht wert,
daß man es liest, unstatthaft. Es ist nicht die Zeit für Ich-
Geschichten. Und doch vollzieht sich das menschliche Leben
oder verfehlt sich am einzelnen Ich, nirgends sonst.)

                                                MNSG, S. 103

Liste der Siglen

ads — achtung: die schweiz. Basler politische Schriften 2. Basel und
   Zürich 1955
BES — Biografie: Ein Spiel. Frankfurt am Main 1967
Bin — Bin oder die Reise nach Peking. Berlin und Frankfurt am
   Main 1952
D — Dramaturgisches. Ein Briefwechsel mit Walter Höllerer.
   Berlin 1969
DB — Dienstbüchlein. Frankfurt am Main 1974
DS — Die Schwierigen oder J'adore ce qui me brûle. Roman. Zürich
   und Freiburg im Breisgau 1970. 6. Aufl.
HF — Homo Faber. Ein Bericht. Frankfurt am Main 1959. 29.—33.
   Tausend
MNSG — Mein Name sei Gantenbein. Frankfurt am Main 1966.
   121.—140. Tausend
RA 1934 (für ›Reden und Aufsätze‹) — Neue Zürcher Zeitung
   Nr. 62 (12. 1. 34)
RA 1935 — Kleines Tagebuch einer deutschen Reise. In: Neue
   Zürcher Zeitung Nrs. 752 (30. 4. 35), 799 (7. 5. 35) und 881
   (20. 5. 35)
RA 1941/42 — Neue Schweizer Rundschau Nr. 9 1941/42
RA 1945/46 — Verdammen oder Verzeihen? In: Neue Schweizer
   Rundschau Nr. 13 1945/46
RA 1949 — Kultur als Alibi. In: Öffentlichkeit als Partner. edition
   suhrkamp 209
RA 1952/53 — Neue Schweizer Rundschau Nr. 20 1952/53
RA 1954 — Neue Zürcher Zeitung Nr. 1524 (20. 6. 54)
RA 1955 — Zur chinesischen Mauer. In: Akzente 2, 1955
RA 1957/1 — Festrede. In: Öffentlichkeit als Partner. edition
   suhrkamp 209
RA 1957/2 — Rede an junge Lehrer. In: Neue Zürcher Zeitung
   Nr. 1149 (21. 4. 57)
RA 1958/1 — Büchner-Rede: In: Öffentlichkeit als Partner. edition
   suhrkamp 209
RA 1958/2 — Öffentlichkeit als Partner. In: Öffentlichkeit als
   Partner. edition suhrkamp 209
RA 1959 — Peter Suhrkamp. In: In memoriam Peter Suhrkamp.
   Hrsg. von Siegfried Unseld. Frankfurt am Main 1959
RA 1960 — Ihr größtes künstlerisches Erlebnis. In: Die Weltwoche
   Nr. 1416 (30. 12. 60)
RA 1964/1 — Der Autor und das Theater. In: Öffentlichkeit als
   Partner. edition suhrkamp 209

RA 1964/2 — Rede zum Tod von Kurt Hirschfeld. In: Theater heute 5, Nr. 12 1964

RA 1965/1 — Ich schreibe für Leser. In: Dichten und Trachten 1965

RA 1965/2 — Unbewältigte schweizerische Vergangenheit. In: Neutralität 1965

RA 1965/3 — Überfremdung 1. In: Öffentlichkeit als Partner. edition suhrkamp 209

RA 1966 — Überfremdung 2. a.a.O.

RA 1967 — Neue Zürcher Zeitung Nr. 703 (19. 2. 67)

RA 1968 — Demokratie ohne Opposition. In: Die Weltwoche Nr. 1796 (11. 4. 68)

RA 1973 — Skizze. In: Günter Eich zum Gedächtnis. Hrsg. von Siegfried Unseld. Frankfurt am Main 1973

RA 1974 — Die Schweiz als Heimat. In: National Zeitung Basel Nr. 21 (19. 1. 74)

S — Stiller. Roman. Frankfurt am Main 1958. 25.—30. Tausend

TaI —Tagebuch 1946—1949. Frankfurt am Main 1962. 36.—40. Tausend

TaII — Tagebuch 1966—1971. Frankfurt am Main 1972

Register

Das neue Buch von

Max Frisch
Montauk
Erzählung

Erscheint am 20. September 1975

Montauk ist ein indianischer Name, er bezeichnet die nördliche Spitze von Long Island, hundertzehn Meilen von Manhattan entfernt; dort findet das Wochenende statt, das erzählt wird.

»Dies ist ein aufrichtiges Buch, Leser, es warnt dich schon beim Eintritt, daß ich mir darin kein anderes Ende vorgesetzt habe als ein häusliches und privates . . . Denn ich bin es, den ich darstelle. Meine Fehler wird man hier finden, so wie sie sind, und mein unbefangenes Wesen, soweit es nur die öffentliche Schicklichkeit erlaubt.«

Diese Sätze, als Motto vor Max Frischs neues Buch gestellt, stammen von Michel de Montaigne, geschrieben am 1. März 1580. In dem Buch selbst heißt es einmal beiläufig: »Ich möchte wissen, was ich, schreibend unter Kunstzwang, erfahre über mein Leben als Mann.« In einem Interview sagt der Autor: »Leben ist langweilig, ich mache Erfahrungen nur noch, wenn ich schreibe.«

Das Er und Ich der Erzählung sucht den Augenblick, die Empfindsamkeit für den Augenblick: in Zürich, in den morgendlichen Hallen von Paris, im Museum of Modern Art, in der Via Margutta und in der Via Giuglia in Rom, auf dem Monte Alban in Mexico und bei Sables d'Or les Pines in Frankreich, in Berzona, in Berlin. Kein bitteres Buch: »ein langer leichter Nachmittag«, wobei der Erzähler seine Person nicht tarnt:

»— autobiographisch, ja, autobiographisch. Ohne Personnagen zu erfinden; ohne Ereignisse zu erfinden, die exemplarischer sind als seine Wirklichkeit; ohne auszuweichen in Erfindungen. Ohne seine Schriftstellerei zu rechtfertigen durch Verantwortung gegenüber der Gesellschaft; ohne Botschaft. Er hat keine und lebt trotzdem. Er möchte bloß erzählen (nicht ohne alle Rücksicht auf die Menschen, die er beim Namen nennt): sein Leben.«

In allen Buchhandlungen

Suhrkamp Verlag Frankfurt